Un tournant de la vie

DU MÊME AUTEUR

Un amour impossible, Flammarion 2015 ; J'ai lu, 2016.

La Petite Foule, Flammarion, 2014.

Une semaine de vacances, Flammarion, 2012 ; J'ai lu, 2013.

Les Petits, Flammarion, 2011 ; J'ai lu, 2012.

Le Marché des amants, Seuil, 2008 ; Points, 2009.

Rendez-vous, Flammarion, 2006 ; Folio, 2008.

Othoniel, Flammarion, 2006.

Une partie du cœur, Stock, 2004 ; Le Livre de poche, 2006.

Les Désaxés, Stock, 2004 ; Le Livre de poche, 2006.

Peau d'âne, Stock, 2003 ; Le Livre de poche, 2005.

Pourquoi le Brésil ?, Stock, 2002 ; Le Livre de poche, 2005.

Normalement suivi de *La Peur du lendemain*, Stock, 2001 ; Le Livre de poche, 2003.

Quitter la ville, Stock, 2000 ; Le Livre de poche, 2002.

L'Inceste, Stock, 1999, 2001 ; Le Livre de poche, 2007, 2013.

Sujet Angot, Fayard, 1998 ; Pocket, 2000.

L'Usage de la vie, incluant *Corps plongés dans un liquide, Même si, Nouvelle vague*, Fayard, 1998.

Les Autres, Fayard, 1997 ; Pocket, 2000, Stock, 2001.

Interview, Fayard, 1995 ; Pocket, 1997.

Léonore, toujours, Gallimard, 1993 ; Fayard, 1997 ; Pocket, 2001 ; Seuil, 2010.

Not to be, Gallimard, 1991 ; Folio, 2000.

Vu du ciel, Gallimard, 1990 ; Folio, 2000.

Christine Angot

Un tournant de la vie

Flammarion

ISBN : 978-2-0814-4421-8

« L'amour ne change pas avec les heures et les semaines éphémères, mais il reste immuable jusqu'au jour du jugement dernier. Et si cela est faux et qu'on me le prouve, je n'ai jamais écrit, et nul n'a jamais aimé. »

Shakespeare, *Sonnets*

Je traversais la rue… Vincent passait sur le trottoir d'en face. Je me suis arrêtée au milieu du carrefour. J'étais là, figée. Le cœur battant. Je regardais son dos qui s'éloignait. Torse large, hanches étroites, il avait une stature impressionnante. J'aurais pu courir, le rattraper. Il a tourné au coin de la rue. Je suis restée debout, les jambes coupées. Les yeux fixés sur la direction qu'il avait prise. Je tremblais. Je n'arrivais plus à respirer. J'ai pris mon téléphone dans mon sac, j'ai appelé une amie.

— Qu'est-ce qui se passe, t'as une petite voix ?

— Je viens de voir Vincent. Là. À l'instant. Dans la rue. Je sortais du métro, il marchait sur le trottoir d'en face. J'avais envie de l'appeler. Je l'ai pas fait.

— Il t'a vue ?

— Non.

— Il était seul ?

— Il était avec une fille. Je pense que j'aurais appelé sinon. Je suis dans un état là ! Si tu me voyais. Au milieu de la rue, avec mon téléphone. J'arrive plus à avancer.

— Tu veux que je te retrouve quelque part ?

— Ça va aller Claire, merci.

— T'es où exactement ?

— Ça s'est passé au croisement de la rue des Gardes et de la rue de la Goutte-d'Or. Je suis à deux pas de chez moi. Je vais rentrer. Ça m'a fait du bien de te parler. Je vais me calmer. Et je vais rentrer.

— Tu es sûre tu veux pas qu'on se retrouve ?

— Je pourrai pas parler. Il vaut mieux que je rentre. C'est la première fois que je le revois depuis neuf ans.

— Tu l'avais pas revu ? Depuis que vous vous étiez séparés. Tu l'avais jamais revu ?

— Jamais.

— Si vous vous revoyiez, vous pourriez être amis tu crois ?

— Je pense pas. C'est aussi pour ça que j'ai pas appelé. Il réessaierait…

— Ah oui !?

— Je me trompe peut-être, mais je pense oui… Ne serait-ce que par rivalité avec Alex… Enfin je sais pas. Franchement je sais pas.

— Et toi ?

— Moi je veux pas perdre Alex. Je suis bien avec lui.

— Bien sûr.

— Là je suis mal, parce que ça vient d'arriver. Je viens juste de le voir. Vincent, je l'ai beaucoup aimé, vraiment beaucoup.

10

— Chaque fois que t'en parles, c'est très frappant... il y a quelque chose qui s'illumine sur ton visage.

— Je sais. Je m'en rends compte. Même là. Je sens bien ce que ça me fait quand j'en parle.

— Tu vas dire à Alex que tu l'as vu ?

— Non. C'est fou hein ! On n'est vraiment rien. On est des toutes petites choses. On croit qu'on va bien, et en fait on n'est rien.

On a raccroché, et j'ai continué mon chemin. Arrivée chez moi je me suis arrêtée devant la porte. J'ai respiré. J'ai mis la clé dans la serrure. Alex était là. Je ne lui ai rien dit. Plus tard, au cours de la soirée, j'ai fait : « Tiens, j'ai aperçu Vincent tout à l'heure. »

Les jours suivants, je suis passée au même endroit plusieurs fois. Mon cœur se serrait. Je pensais : « Si là, tout de suite, il arrivait, je l'appellerais. » Je scrutais le bout de la rue, j'imaginais qu'il apparaissait, que je mettais mes mains autour de ma bouche, en porte-voix :

— Vin-cent...

S'il n'avait pas entendu, je recommençais :

— Vin-cent... Vin-cent...

En criant de plus en plus fort jusqu'à ce qu'il me voie :

— Vin-cent...

Il se retournait. Et me voyait.

Ça ne s'était pas passé comme ça. Je me disais : « Tu as été lâche, comme d'habitude. Tu as raté ta vie amoureuse à cause de ça. »

Deux mois plus tard, le téléphone d'Alex a sonné, il est allé répondre sur le balcon. À travers la vitre, je le voyais. La conversation semblait sérieuse. Et elle a duré un certain temps. Il est revenu dans le salon :

— Je peux te parler ?

— Oui.

— C'était Vincent. Il me propose de retravailler avec lui…

— Ah, c'est bien. C'est bien non ? Qu'est-ce que t'en penses ?

— Je sais pas.

Il est allé dans la salle de bain. Je l'ai suivi.

— Qu'est-ce que tu fais ? Tu sors ?

Il était en train de se déshabiller.

— Pour l'instant je me lave.

— T'es content que Vincent te propose de retravailler avec lui ?

— Je sais pas.

— Pourquoi ? Tu penses qu'il peut y avoir des problèmes ?

— Moi j'ai jamais eu de problème avec Vincent, j'ai toujours eu son numéro, il a toujours eu le mien.

Il jetait ses vêtements par terre, comme d'habitude, et les poussait du pied sous le lavabo.

— Pourquoi tu hésites ? T'as peur de quelque chose ?

— Moi j'ai peur de rien.

— Qu'est-ce qui te gêne alors ?

— Il y a rien qui me gêne. Mais toi, ça te gêne, toi ?

— Moi ?

— Oui, toi.

— Au contraire. Ça me fait plaisir. Ça me fait plaisir de savoir que vous allez vous retrouver. Retravailler ensemble. Ça me fait plaisir pour toi. Pour lui. Pour vous deux. C'est quelqu'un que j'ai beaucoup aimé Vincent. Tu le sais. Ça me ferait peut-être bizarre de le revoir. Parce que quand on aime quelqu'un, ça disparaît jamais complètement. J'ai un sentiment particulier pour lui, c'est vrai. Je vais pas te dire le contraire. Ç'a été quelqu'un de très important pour moi. Déjà parce que si je l'avais pas connu, je t'aurais pas connu. Mais mon histoire avec lui est finie. Ça c'est très clair. Je suis avec toi Alex. T'as pas à être inquiet.

— Moi je suis pas inquiet.

— Alors tout va bien.

— Je pense.

— C'est génial de voir que des choses qu'on croyait fermées peuvent se rouvrir.

— Ç'a jamais été fermé !

— Il t'a demandé si on était toujours ensemble ?

— Je parle pas de ma vie privée avec lui.

— Oui… enfin. Si. Vous avez bien été obligés d'en parler, à un moment.

— À un moment mais c'est tout.

— Ça vous avait éloignés justement.

— Ça nous a pas éloignés, on n'est plus là-dedans.

— Vous vous êtes pas vus pendant des années. Si c'est pas ça qui vous a éloignés, c'était quoi alors ?

— Il faisait ses affaires, je faisais les miennes.

— Il t'a posé aucune question ?

— Peut-être que si, mais j'ai pas répondu. J'ai pas à lui parler de ma vie. On en a parlé une fois, c'est réglé. On n'a pas parlé de toi. On est dans le travail là.

— OK.

Alex était né dans les Caraïbes. Sa mère était noire. Son père était chabin. C'était comme ça aux Antilles qu'on appelait ceux qui avaient le teint pâle et les traits négroïdes. Lui-même avait les cheveux crépus, la peau claire, et sur les tempes, tout un semis de grains de beauté, sur lesquels la couleur noire semblait s'être retirée, et concentrée. Il vivait à Paris depuis vingt ans. Il était mince. Sa silhouette était déliée. Il était beau. Il avait des dreadlocks. Il les a relevées, nouées entre elles, il est entré dans la douche.

— Tu as maigri on dirait ?

— Tu peux fermer la porte s'il te plaît ?!

Quand ils se sont rencontrés, Alex avait vingt-trois ans. Vincent en avait dix-huit. Alex était jeune ingénieur du son, il venait d'arriver en France. Vincent écrivait des chansons qu'il composait au piano. La première fois qu'il les a chantées devant un micro, Alex était derrière la console. C'était la première fois qu'on enregistrait sa voix. Ils ont continué à travailler. Puis Alex est parti à New York sonoriser des concerts à Carnegie Hall. Il est revenu. Vincent était célèbre. Ils se sont retrouvés. Ils sont devenus l'un pour l'autre le seul ami avec qui ils pouvaient vraiment parler. Ils envisageaient la musique de la même façon. Alex accompagnait Vincent dans tous ses rendez-vous. Dans sa loge, avant l'entrée en scène, il était le seul admis. Ils ont été père de famille à peu

16

près en même temps. Grâce à ses premiers succès, Vincent a acheté un appartement dans le Marais. Le prix qu'il l'a payé était si bas que la valeur du mètre carré n'a cessé de grimper. Au plus fort de l'augmentation il observait la courbe de l'immobilier les yeux écarquillés. Comme s'il avait ramassé par terre un billet de loterie et touché le gros lot. Alex a créé son propre studio. L'activité a bien démarré. Il a été cambriolé, il a tout perdu. Il s'est inscrit dans des boîtes d'intérim, il faisait des installations sonores payées douze euros de l'heure. Il continuait d'accompagner Vincent dans ses concerts, à Paris et en tournée. Après les spectacles, souvent, Vincent sortait de la chambre d'hôtel où il venait de coucher avec une fille, et lui proposait de prendre la suite. Alex a toujours refusé.

Il est sorti de la douche. Il était enveloppé dans une grande serviette, qu'il tenait à deux mains devant lui. Il frissonnait. Une deuxième serviette était enroulée autour de sa tête. Il avait les yeux rouges, il claquait des dents :

— T'es en train de lire là, je te dérange ?

— Je t'écoute.

Il s'est approché, il était debout devant moi, les épaules rentrées.

— Qu'est-ce que tu penses de ce truc toi ?

J'étais allongée sur le canapé.

— Et toi ? C'est ça Alex qu'il faut savoir. Moi je pense que c'est bien. Mais toi, ça te plaît ? Ça te plaît, toi, de retravailler avec Vincent ?

— Oui.

— Alors… y a pas de questions à se poser…

Il est allé à la fenêtre.

Les yeux dans le vague, il regardait dehors. Il s'est retourné :

— Ça m'angoisse.

— Viens t'asseoir…

Il s'est assis. J'ai caressé son bras nu.

— T'inquiète pas Minou. Les gens changent tu sais. Il a dû changer Vincent. Il a mûri, forcément. Il a dû se passer des choses dans sa vie. En dix ans, rends-toi compte. Il est sûrement moins égoïste qu'avant.

— Je vais m'habiller. Il faut que j'y aille.

Il avait rendez-vous avec Vincent. Il le retrouvait au coin de la rue.

— Au coin de la rue c'est-à-dire ?

— Il passe me chercher en voiture.

Je l'ai accompagné au bout du couloir. Devant la porte, on s'est serrés l'un contre l'autre.

Le lendemain, son téléphone a sonné à dix heures. Il est allé sur le balcon. Il riait. Il faisait des gestes. Il a éclaté de rire plusieurs fois. Dans l'après-midi il a reçu un nouveau coup de fil. Il y avait trois chambres dans l'appartement. Celle de ma fille, la nôtre, une entre les deux qui était devenue sa pièce. J'ai collé mon oreille à la cloison, et aux accents de sa voix à travers les murs j'ai compris qu'il parlait à Vincent. La conversation semblait l'intéresser. Il riait.

Il n'avait pas le même ton qu'avec ses autres amis. Avec eux le ton était plus ferme. Et ça durait moins longtemps.

Quelques jours plus tard, il était dans le couloir, prêt à sortir, les clés à la main :

— Je sais pas à quelle heure je vais rentrer. M'attends pas. On fait passer des auditions. Tu sais où c'est toi la rue des Bleuets...

Il vivait à Paris depuis vingt ans, il continuait de demander son chemin. Certaines rues qu'il empruntait régulièrement, il ne les reconnaissait pas. Il lui arrivait de se perdre. À la moindre contrariété, il disait qu'il allait rentrer en Martinique.

Au milieu de la nuit, j'ai entendu un bruit. J'étais dans ma chambre.

— Alex !

Il a ouvert la porte...

— Alex... j'arrive pas à dormir.

Il s'est assis sur le lit. Il a mis la main sur mon front.

— Allez... Dors.

— Ça s'est bien passé ?

— Très bien.

— Tu viens te coucher ?

— Pas tout de suite.

Sa silhouette se découpait dans l'ombre.

— Tu me fais un bisou ?

Il a arrangé le drap sur mes épaules, et il est sorti.

— Alex !

Il a rouvert :

— Oui, quoi ?

— Tu m'aimes ?

— Oui je t'aime. Et toi ?

— Oui.

— Allez, dors bien. À tout à l'heure…

— Tu me raconteras ce que vous avez fait ?

— Il y a rien à raconter, on travaille.

— Ça se passe bien ?

— Très. Dors. À demain.

C'était la vue qui nous avait décidés à prendre cet appartement. Les arbres, la verdure. Le salon et la cuisine donnaient sur un grand jardin. J'avais mis mon bureau dans le salon. C'était l'automne. Je voyais les feuilles des arbres qui rougissaient. Les couleurs du ciel étaient magnifiques. Alex était sur le balcon. Il regardait au loin accoudé à la balustrade. Il s'est assis sur un fauteuil en rotin. Il y en avait un de chaque côté de la table en bois sur laquelle on déjeunait l'été. Il faisait ça tous les matins. Il roulait un joint, il se remettait à la balustrade, il en tirait quelques bouffées. Et il rentrait. C'était comme ça tous les jours. Il fermait la fenêtre, il venait vers moi, il me disait quelque chose de gentil. Je lui disais que je l'aimais, on s'embrassait, puis il allait dans sa pièce. Ç'avait été celle de son fils quand il venait. Les raisons seraient trop longues à expliquer, il ne le voyait pratiquement plus. Sur le balcon, il y avait un bambou, dans un grand pot en terre. Il l'arrosait.

Son téléphone a sonné. À travers la vitre je le voyais. Son visage est devenu sérieux. Il est revenu dans le salon, l'air préoccupé :

— Je peux te parler ?

— Oui.

— Vincent me propose de l'accompagner en tournée.

— Et alors ? Ça te plaît ?

— Je dois aller en Louisiane avec Dédé au printemps, il compte sur moi Dédé.

— Ce que tu ferais avec Vincent, ça t'empêche d'y aller ?

— Ben oui. Si je travaille avec Vincent... je peux pas être en Louisiane avec Dédé.

— Qu'est-ce qui t'intéresse le plus ? Aller en Louisiane avec Dédé, ou partir avec Vincent ?

— Dédé il compte sur moi. Je me suis engagé. Mais si ça marche, avec Vincent, j'aurai des perspectives.

— De quoi tu t'occuperais ? Du son ?

— Pas seulement du son. De tout. Je ferais l'intermédiaire entre lui et l'équipe. Il peut pas être en première ligne, il a besoin de quelqu'un. C'est toujours comme ça qu'on a travaillé.

— C'est plus ton style de musique, Vincent, c'est ça ?

— Oui.

— T'aurais un contrat, tu serais payé ou...

Il a fait un geste énervé :

— C'est rien ça !

— Vous en avez parlé ?

— C'est évident si je travaille que je serai payé. Il faut que je fasse ma place, après je peux intégrer l'équipe.

— Fais quand même attention. Avec Dédé t'es payé régulièrement.

Le lendemain, il a prévenu Dédé qu'il n'irait pas en Louisiane avec lui. Et Dédé l'a remplacé.

Il était au chômage depuis plusieurs années. Il travaillait sur de courtes périodes. Avec le peu qu'il avait, il réglait sa pension alimentaire. Je payais tout. Le loyer, les vacances, l'électricité. Quand il allait faire des courses, il prenait ma carte Bleue. Ça m'énervait. J'insistais pour qu'il la prenne sinon il achetait les choses à l'unité. J'avais proposé de faire des versements réguliers sur son compte. Il avait refusé. La simple évocation du sujet provoquait des scènes. On avait parlé de se marier. On n'en parlait plus. On attendait que sa situation se soit améliorée. On pensait à la bague qu'il m'offrirait. On regardait les vitrines. Parfois on entrait, j'en essayais une. Il avait réussi à acheter une petite voiture, dont il payait l'essence et le parking. Et dans laquelle j'adorais monter.

Ma fille vivait encore avec nous. Un matin, il était sur le balcon, elle est arrivée dans la cuisine. Il a ouvert la fenêtre.

— Je peux te dire quelque chose Anna ?

Elle prenait son petit-déjeuner.

— Oui Alex.

— Anna, tu es mon seul enfant. Là. Aujourd'hui.
Ta mère c'est ma femme, toi, tu es mon seul enfant.
Tu es le seul enfant pour qui j'aie une importance.

Elle ne bougeait plus.

— Je sais pas ce que ça te fait que je te dise ça.
J'espère ne pas te blesser. Mais tu es mon seul
enfant. Voilà.

Il est ressorti.

Il s'est accoudé à la balustrade. Le ciel était gris. Il
y avait des échafaudages sur le mur d'en face. On
entendait au loin des bruits frappés sur du métal. La
cuisine communiquait avec le salon. De mon bureau,
j'avais assisté à la scène.

— Anna.

— Oui maman.

— Ça te gêne qu'il t'ait dit ça ?

— Non, ça me gêne pas maman, bien sûr que
non. Je le sais que je suis son enfant. C'est pas le
problème.

— Tu lui as rien répondu…

— Qu'est-ce que tu veux que je lui réponde ? Il
me dit que je suis son seul enfant. Alors qu'il en a
un qu'il ne voit pas. Et que je sais à quel point il
en souffre. Je vais pas lui dire : « Oui je suis ton
seul enfant. »

— Je comprends… Mais il faudrait peut-être
quand même que tu lui dises quelque chose…

— J'ai cours là, il faut que je parte. J'irai le voir tout à l'heure. Et je lui dirai que je l'aime.

Il est revenu dans le salon. Je lui ai tendu la main. Il l'a prise. Il s'est écroulé sur le dos d'un fauteuil.
— Pleure pas mon amour.
Il se cachait les yeux. La tête baissée, le visage inondé.
— Tu es mon amour Alex. Pleure pas. Mon amour, tu es mon amour. Non, Alex… je t'en prie…
Je me suis mise à pleurer aussi.
— Tu es quelqu'un de tellement merveilleux Alex… Je t'en prie.
— Ça sert à quoi ?
— Je sais pas. Mais pleure pas. Pleure pas mon chéri.
— Je vais me laver.

Depuis une heure j'entendais l'eau couler. Je suis allée voir dans la salle de bain. Il n'y était pas, et le robinet était fermé. Je suis allée dans sa pièce. Il était assis sur le lit, le dos rond, il sanglotait. J'ai relevé ses cheveux, ses joues étaient inondées. Il reniflait. La morve coulait de son nez. C'était ça le bruit.
— Qu'est-ce qui se passe Alex ?
Il avait son ordinateur sur les genoux.
— Regarde.
Il y avait un article du *France-Antilles*, avec la photo d'une jeune femme en uniforme.

— Elle a été tuée. C'était une amie à moi. Elle
était policier. Ils lui ont tiré dessus. J'étais à l'école
avec elle. Elle était tellement gentille cette fille.

— Elle a été tuée pourquoi ?

— Je sais pas moi. Comme d'habitude. Il y avait
des règlements de comptes. Elle était policier, elle
était là, et voilà. C'est comme ça maintenant en
Martinique. Tout le monde s'en fout de cette île. Elle
était tellement gentille cette fille. Elle avait trois
petits enfants. Regarde. C'est eux.

Quand j'ai rencontré Vincent, j'habitais une petite
rue derrière Saint-Lazare. Je louais un appartement
où je vivais avec ma fille. J'étais arrivée à Paris
quelques années plus tôt, j'avais eu une histoire
importante, et des histoires sans intérêt. Depuis que
je connaissais Vincent, il venait tous les jours. Un
après-midi, il est passé avec Alex. L'appartement avait
un petit balcon. Alex est resté une heure accoudé à
la balustrade. Il regardait la rue. Vincent et moi par-
lions dans le salon. La deuxième fois que je l'ai vu,
c'était à une fête. Il avait un sourire incroyable. La
troisième fois, c'était chez lui. Il avait mal à la tête.
Il était allongé sur un divan, la main sur le front.

Quand il ne souriait pas, à moins que la goutte
d'eau fasse déborder le vase, et qu'il se mette à hurler,
ou que des grosses larmes coulent sur ses joues, on
ne savait pas ce qu'il éprouvait.

Un soir, en rentrant, il est allé directement dans sa pièce. Des éclats de voix traversaient la cloison. Tout à coup mon nom. Le ton a baissé. La porte s'est ouverte. Il est allé prendre un Coca dans la cuisine, un paquet de chips, et s'est allongé sur le canapé.

La télé était allumée.

— Ça va Alex ? Tu veux que je tourne un peu l'écran vers toi ?

— C'est bon.

— T'as l'air énervé, qu'est-ce qui se passe ?

— Je suis pas énervé, c'est bon, je te dis.

— Pourquoi j'ai entendu crier ?

— J'ai pas spécialement crié.

— Ça avait l'air un peu vif quand même ta conversation. T'étais avec qui ?

— Avec Vincent.

— Il me semble avoir entendu mon nom... Je me trompe ?... Il y a un problème ?

— Il y a pas de problème, c'est réglé.

— J'aimerais bien savoir si ça me concerne. Qu'est-ce qui est réglé ?

— Ce matin, tu as vu que je suis parti en retard... les autres étaient déjà là, quand je suis arrivé. Ils étaient en train de parler de toi, ils m'ont vu, ils ont arrêté.

— C'était désagréable ce qu'ils disaient ?

— Je sais pas, je te dis qu'ils ont arrêté quand ils m'ont vu.

— Qu'est-ce qu'il voulait Vincent ? C'est lui qui t'appelait ou c'est toi ?

— Lui. Il voulait savoir si j'étais toujours avec toi.

— Tu lui avais pas dit !? Ça fait quatre mois que vous travaillez ensemble…

— Et alors ! C'est mes affaires. Maintenant il sait. Et je lui ai dit que si j'entendais *un* mot contre toi, tous ces gens-là allaient jamais me revoir. Je vais pas travailler avec des gens qui parlent de toi et qui se taisent quand j'arrive non !

— Il était étonné qu'on soit toujours ensemble ?

— J'ai l'impression.

— Il devait pas imaginer qu'on resterait ensemble sûrement…

— Ce qu'il imagine m'intéresse pas.

— Ça a dû lui faire bizarre…

La nuit, on avait fait l'amour, et après avoir joui, ma main dans la sienne, allongée à côté de lui dans la pénombre, je regardais le plafond. Je disais :

— Mon amour, mon amour, mon amour…

Comme si je ne contrôlais pas les mots, qu'ils sortaient de ma bouche involontairement.

— Mon amour, mon amour…

Ma voix s'est mise à trembler.

— Pourquoi tu pleures belle ? Tu as mal ?

— Non, j'ai pas mal.

Il s'est remis sur moi, j'ai glissé mes doigts dans ses cheveux. Les mots continuaient de sortir.

— Mon amour, mon amour…

— Je t'aime belle.

— Moi aussi Alex.

Il rentrait, il sortait, il a joui. Il a continué de bouger pendant que je caressais son ventre. Il s'est allongé à côté de moi. Il s'est endormi.

Le lendemain matin, j'avais un rendez-vous. J'ai pris le métro. Dans un couloir, j'ai vu une photo de Vincent. C'était une affiche du spectacle. La date se rapprochait. Il avait changé. L'expression de son visage n'était plus la même. Et il y avait des fils d'argent dans ses cheveux, qu'il n'avait pas avant.

Deux jours plus tard, après avoir tourné la question dans ma tête, j'ai demandé à Alex s'il pensait que je pourrais assister à la première.

— Je sais pas. C'est pas moi qui m'occupe de ça. Je vais me renseigner.

Le matin, vers dix heures, il se levait. J'étais à mon bureau. Il caressait mon dos, il allait fumer sur le balcon, il se douchait, et il partait. Quand il rentrait, j'étais couchée. Il s'allongeait dans sa pièce, ou sur le canapé, pour ne pas me réveiller. Je le retrouvais endormi devant la télé allumée.

Un soir, il est rentré plus tôt. On était dans le salon, son téléphone a sonné. Il a pris l'appel. Une voix de femme sortait de l'appareil. Ça a duré deux minutes. Il a raccroché.

— T'as deux invitations pour la première.

— Super. Merci Alex ! Je vais demander à Réjane si elle veut m'accompagner...

La nuit commençait à tomber. Les branches du bambou se balançaient. Il y avait des lumières allumées dans les appartements d'en face. Des silhouettes se déplaçaient floutées par la transparence des voilages. Le ciel était noir. Il y avait des sortes d'empiècements, jaunes et violets, qui se déchiraient autour de la lune.

Le matin de la première, il était sur le balcon, accoudé à la balustrade, prêt à partir. Il avait son blouson et son sac à dos en cuir. Il fumait.

— Ça va Alex ? Tout va bien ? Ça va aller ?

— Ça devrait.

— Comment tu te sens ? Pas trop fatigué ?

— Ça va.

— Je te verrai ce soir ?

— Je serai de l'autre côté moi. J'aurai pas le temps de venir te voir.

— Je sais que tu seras de l'autre côté. Je me doute que tu vas pas venir me voir dans la salle. Tu penses qu'il vaut mieux que je vienne pas dans les loges après, c'est ça ?

— Je pense.

— Tu penses quoi ? C'est mieux que je vienne dans les loges ? Ou c'est mieux que je vienne pas ?

— Il va être super-fatigué Vincent. Il aime pas trop qu'il y ait du monde. C'est pas le bon moment. Vous vous verrez une autre fois.

— Il aime pas que des gens viennent le féliciter dans la loge ? Il se couche pas tout de suite après quand même…

— Tu veux voir le spectacle, ou tu veux voir Vincent ?

— Je veux voir le spectacle, et dedans y a Vincent. Quand on est invité, en général, on va voir l'artiste pour le remercier.

— C'est moi qui t'invite là. C'est moi qui ai demandé tes places.

— OK.

— Vous vous verrez dans d'autres conditions. Fais-moi confiance. Là il y a des tensions dans l'équipe. J'ai pas le temps de t'expliquer, il faut que je parte.

Il a pris la direction du couloir. Je le suivais.

— C'est mieux, t'as raison. De toute façon j'hésitais.

Je l'ai accompagné à la porte.

— Ça fait tellement longtemps que je l'ai pas vu, j'ai pas forcément envie de le voir dans une loge entourée de monde.

— Voilà. Vous vous verrez au calme. Vincent, il va pas m'attendre toute sa vie au coin de la rue. Un jour je vais lui dire de monter. Vous vous verrez tranquillement à la maison.

— Oui enfin, on verra. On n'en est pas là.

— Je sais pas du tout à quelle heure je vais rentrer, par contre.

— T'inquiète pas. On se retrouve à la maison demain. Faites un beau spectacle, hein, surtout.

— On va essayer.

Il m'a embrassée.

— Je t'aime.

— Moi aussi. T'as tes clés ?

Mon cœur a commencé à battre la chamade deux heures avant le début du spectacle. Toute la journée j'avais pensé à la soirée qui s'annonçait. Je suis arrivée en avance. J'ai traîné dans les rues jusqu'à l'ouverture des portes. J'ai pris les billets, et j'ai attendu Réjane. J'étais appuyée contre un mur. Je regardais autour de moi. Soudain j'ai vu Alex. Il traversait le hall à pas rapides. Il m'a vue. Il a souri. Il s'est arrêté. Et il est venu. Il y avait une chaîne entre nous, il l'a enlevée.

— T'as tes places ? Fais voir où ils t'ont mise.

Je lui ai montré les billets.

— Ouais, bof. C'est un peu loin mais ça va...

Il m'a embrassée. Il est reparti.

Quelques minutes après, Réjane est arrivée. On s'est installées. On était tout au fond de la salle.

Vincent est entré en scène. Il portait un costume à épaulettes brodées. Il s'est assis au piano. Mon sexe a mouillé. Il a chanté a cappella pour les rappels. Les lumières se sont rallumées dans la salle. Là, dans l'ombre, sur le plateau, à la lisière de la coulisse, j'ai vu une fille blonde. Elle lui tendait la main. Elle lui a touché la taille. La salle se vidait. Réjane et moi descendions l'allée centrale. Une femme nous a abordées. Les cheveux roux, une quarantaine d'années.

— Bonjour, je suis Chantal. La productrice. C'est moi qui vous ai mis les places. Ça vous a plu ?

— Beaucoup. Ça nous a beaucoup plu. Merci.

— Vous voulez venir backstage ?

— Non. Non non.

— Mais si, venez.

— C'était magnifique, vous le féliciterez pour nous.

— Vous êtes sûres que vous voulez pas venir ?

— Je veux pas le déranger.

— Au contraire, ça va lui faire plaisir. Venez.

— On va rentrer. Mais c'était super, vous lui direz…

Elle nous a donné son numéro pour le cas où on changerait d'avis. Et on est sorties.

J'avais les jambes coupées, le cœur qui battait, peur de me retrouver seule chez moi.

— Je suis pas bien Réjane.

— Tu veux rentrer ?

— Ah non, surtout pas. Me laisse pas.

— Tu veux aller boire un verre quelque part ?

— J'aimerais bien, oui. J'aimerais bien prendre un verre avec toi. Je ne sais plus où j'en suis.

— Tu veux aller le voir dans sa loge ? Tu veux que je te laisse ?

— Surtout pas. Tu restes avec moi jusqu'au bout ?
Tu promets ? Je suis bouleversée en fait.

— Tu veux que j'aille dans la loge avec toi ?

— Alex m'a dit de ne pas y aller.

— Appelle-le, dis-lui qu'on a rencontré la productrice. Qu'elle nous l'a proposé.

— Il a été très clair.

— Appelle, tu verras bien.

— Pour te dire la vérité… j'ai peur que Vincent soit avec sa copine.

— Une fille qui était dans les coulisses à la fin ? Il me semble que je l'ai vue. Elle a fait un geste qui indiquait une certaine intimité, une blonde ?

— Je crois pas que j'ai le courage d'affronter ça. Peut-être qu'il faudrait. C'est sûr qu'en dix ans il est pas resté tout seul. J'ai pas le courage de le voir avec quelqu'un. C'est idiot, mais c'est comme ça.

— On n'a qu'à aller dans un café pas trop loin.

Il y en avait un à l'angle de la rue. On était sur le point de commander. Mon téléphone a sonné.

— C'est moi. T'es où ?

— Dans un café avec Réjane. On a rencontré la productrice, elle nous a proposé de venir dans la loge…

— Fais pas ça, je te dis.

— Tu vois bien que je l'ai pas fait. Puisqu'on est dans un café. Je comprends pas pourquoi, mais je l'ai pas fait.

— Comme tu veux, moi je te dis « fais pas ça ».

— Dis-moi juste pourquoi…

33

— Il va falloir que tu comprennes vite là, j'ai pas le temps.

— À cause des tensions dans l'équipe ? Ou il y a autre chose ? Dis-moi franchement.

— Je peux pas t'expliquer maintenant.

On a raccroché.

Réjane a dit au serveur qu'on n'était pas sûres de rester.

— Il me dit qu'il y a des tensions dans l'équipe. Est-ce que c'est ça la raison ? Je sais pas moi. À moins que ce soit à cause de la fille blonde. Qu'il veuille m'éviter de voir Vincent avec elle… Non. Ça peut pas être ça. Je me suis dit ça, mais je sais très bien que ça peut pas être ça. À un moment je me suis dit peut-être qu'il m'aime assez pour vouloir m'éviter ça. C'est débile. C'est impossible. Je suis folle. Ça peut pas être ça. Hein ?

— Non je crois pas.

— Qu'est-ce qu'on fait Réjane ? On reste ? On part ? On commande ? Qu'est-ce que t'en penses ?

Mon téléphone a resonné.

— Je te passe Vincent.

Il y a eu un bruit d'appareil, quelques secondes d'attente, un silence, et :

— Allô ? Allô ?

— Vincent ?

Une petite pluie battait les vitres. Le téléphone était collé à mon oreille. C'était bien lui. Je reconnaissais sa voix.

— Allô ? Allô ?

— Oui.

— Allô ? Allô, allô…

— Vincent ?

— C'est qui ?

— C'est moi.

— C'est toi ?

— Oui, c'est moi. C'est toi Vincent ?

— Oui, c'est moi.

— C'était magnifique tout à l'heure.

— T'étais là !?

— Alex t'avait pas dit ?

— Non je savais pas.

— C'était beau. J'ai pleuré. J'étais émue.

— C'est vrai ? T'es où ?

— Dans un café avec une amie.

— Viens.

— T'es sûr ?

— Viens je te dis.

— Alex m'a dit de ne pas venir.

— Alex il va aller te chercher. Où t'es exactement ?

— Je suis dans un café à cent mètres.

— Explique-lui où tu es. Je te le repasse.

On a couru sous la pluie jusqu'à l'entrée du théâtre. Alex nous a fait passer les contrôles de sécurité. J'ai pensé : « Chaque pas me rapproche de Vincent. » Et : « Pourvu qu'Alex ne m'embrasse pas devant lui. » On a suivi des couloirs. On était dans un hall qui donnait sur les loges. Plusieurs personnes parlaient entre

35

elles un verre à la main. Celle de Vincent était fermée. Alex a ouvert, en gardant la main sur la poignée et en collant son dos à la porte pour nous laisser passer. J'ai aperçu la silhouette de Vincent de profil. Une femme brune derrière lui sur un divan bleu. J'ai pensé : « Ça doit être sa compagne. » Il ne me voyait pas. Je suis entrée en me disant : « Je suis une amie qui vient le saluer après le spectacle. Le reste n'existe plus. » Il m'a vue. Neuf ans avaient passé. Mais il y a eu dans notre échange de regards la même chose que si on avait remonté le matin même, main dans la main, la rue que j'habitais à l'époque où on était encore ensemble.

Je me suis jetée dans ses bras. Je l'ai serré. J'ai collé ma joue contre sa poitrine. Il a refermé les bras sur moi. Les conversations se sont arrêtées. Les murs de la loge étaient blancs. Il y avait une lumière crue. Sur un pan latéral des miroirs entourés d'ampoules. Deux hommes que je ne connaissais pas assis sur des chaises. La femme sur le divan bleu souriait. Alex maintenait la porte ouverte avec son dos. Réjane entrait. J'ai levé les yeux vers Vincent, il a dit :

— Ah, ce regard !

Il m'a montré le divan bleu.

— Viens t'asseoir.

Alex est sorti de la loge. Il n'y avait plus de chaise, il en fallait une pour Réjane. Vincent s'est assis sur le divan. J'ai posé ma main sur la sienne.

Il a dit :

— T'étais où ?

— Pas loin.

— Tu m'as manqué.

J'ai caressé son bras. J'ai touché ses cheveux.

Alex est revenu avec une chaise supplémentaire. Réjane s'est assise face au miroir entouré d'ampoules. Lui sur la tablette de maquillage, dos à la glace. Les poings sous les genoux, il balançait les jambes dans le vide. Il souriait. Il avait l'air de respecter ces retrouvailles, qu'il regardait en silence, calme, en retrait. La cuisse de Vincent touchait la mienne. J'ai passé ma main dans ses cheveux. J'ai posé ma tête sur son épaule. Il a regardé Alex :

— Merci Alex ! T'as des couilles Alex.

Alex a souri. Il a sauté sur ses deux pieds en nous demandant ce qu'on voulait boire, et il est sorti.

Vincent a redit :

— Tu m'as manqué.

— Et toi Vincent, t'étais où ? T'étais loin ?

— Non, j'ai été à Rome. T'en parlais tout le temps. Maintenant, j'ai envie d'aller à Vienne. T'en parlais aussi. Il y a un fleuve là-bas. Je voudrais bien y arriver en bateau. Tu viendras avec moi ?

Je caressais son bras, ses cheveux.

Alex est revenu, avec deux bouteilles dans chaque main, qu'il a posées sur la tablette.

Il s'est approché. Il a mis une main sur l'épaule de Vincent, et l'autre sur la mienne.

— Je vous aime tous les deux.

37

Son regard est passé du visage de Vincent au mien. Puis du mien à celui de Vincent.

Il a redit :

— Je vous aime tous les deux.

Et Vincent :

— Moi aussi Alex.

On est restés des heures dans cette loge. À rire et à parler. Des gens entraient, d'autres sortaient. La femme brune est partie avant minuit. À une heure, un appariteur a annoncé que le théâtre fermait. On a refait le chemin en sens inverse. Le hall, les couloirs, la rue.

Alex devait raccompagner Vincent. Réjane et moi étions assises dans un taxi à l'arrêt, la porte encore ouverte. Vincent s'est approché :

— Je vais demander ton numéro à Alex. Et je vais t'envoyer un texto cette nuit.

— D'accord.

— Il faudra me répondre.

— Oui.

— Tu promets ?

— Je te promets.

— Regarde la vie que j'ai. Je suis tout seul, j'ai rien. J'ai pas de copine. J'ai pas de femme. J'y arrive pas. Comment tu fais, toi, pour arriver à être ensemble ?

— Je sais pas si j'y arrive tu sais.

Alex est venu. Il m'a embrassée.

— À tout à l'heure !

La voiture a démarré.

On roulait sur les boulevards déserts, entre les rideaux de fer baissés. La pluie s'était arrêtée.

— Il est extraordinaire Alex…

— Et Vincent, comment tu l'as trouvé ?

— Il a une forte personnalité !

— T'as vu comme j'étais avec lui ? J'ai pas pu faire autrement. J'ai même pas réfléchi. Je me suis jetée dans ses bras.

— Il a été génial Alex, quand il a dit « je vous aime tous les deux ». C'est vraiment un prince.

— Oui. C'est pour ça je crois, je pourrai jamais le quitter. Mais c'est fou quand même, de ne pas voir quelqu'un pendant neuf ans, de le revoir, et de ressentir exactement les mêmes émotions. Comme s'il y avait rien eu entre les deux. Ça t'est déjà arrivé, toi ?

— Une fois oui.

— Et heu… ?

— Sa situation avait changé entre-temps. Il avait une famille. J'ai pas voulu perturber ça. Et j'ai ma vie moi aussi. Même si j'ai pas d'enfant.

— Heureusement qu'on a une vie. Tu te rends compte sinon comment on serait le jouet des émotions ?

— Tu as vu que la fille blonde, celle qui était dans les coulisses à la fin, a ouvert la porte à un moment ?

— Ah bon !?

— Elle a ouvert, elle a tout de suite refermé. Elle avait l'air furieux. Tu penses qu'il va t'appeler cette nuit ?

— Ce serait mieux qu'il le fasse pas. Ce serait plus simple.

— Tu préférerais ?

— Oui.

— S'il le fait, tu vas répondre ?

— Oui. Oui ben oui. Oui. Enfin on verra. Il va peut-être pas le faire.

J'ai branché le téléphone au pied de mon lit. J'ai à peine dormi. J'ai entendu Alex rentrer. Il s'est couché dans sa pièce pour ne pas me réveiller. Vincent ne s'est pas manifesté. Le matin, en me levant, j'ai noté dans un petit carnet noir qui se trouvait sur ma commode :

« Voilà c'est reparti. L'amour…

le cœur qui bat,

… la nuit sans fermer l'œil,

le téléphone au pied de mon lit…

l'impression de vivre,

le sexe qui mouille…

la peur. »

— Le concert t'a plu ?

Alex était accoudé à la balustrade, les yeux dans le vide. Il avait posé la question sans me regarder.

— Beaucoup ! Ça m'a beaucoup plu.

— Tant mieux.

— Et j'ai été contente de voir Vincent, après. Ça m'a fait plaisir.

J'étais près de la petite table en bois. Je le voyais de profil.

— Tu crois qu'il était content lui ?

— Je pense.

— C'est-à-dire ? T'es pas sûr ?

— Ben tu l'as vu, t'étais là, il avait l'air content ou pas ?

— Oui.

— Voilà.

— Ça t'a pas gêné finalement que je vienne dans la loge ?

Il s'est tourné vers moi :

— Et toi ? Ça t'a gênée que je sois là ?

— Pourquoi tu dis ça ? Non. Bien sûr que non. De toute façon j'aime Vincent.

— C'est-à-dire ?

— Ben rien. Rien de plus que ce que j'ai dit. J'aime Vincent. C'est tout. C'est comme ça. J'y peux rien.

Il a répété :

— C'est-à-dire ?

— Comment ça c'est-à-dire ? Qu'est-ce que tu veux que je te dise ? J'aime Vincent. Je l'aimerai toujours. C'est comme ça. Y a des gens, dans la vie, qu'on rencontre, et qui comptent. Bon, ben Vincent, c'est quelqu'un qui a beaucoup compté. Et qui m'a beaucoup apporté. Ma vie n'a plus été la même après. Donc, quoi qu'il arrive, je l'aimerai toujours. Tu comprends ? Voilà, c'est tout. Je pourrai jamais oublier ma rencontre avec lui. Il y a avant lui, et après lui. Pareil avec Claude. Y a avant Claude, il y a après Claude. Pas seulement parce qu'il est le père d'Anna. C'est grâce à lui que j'ai compris que je pouvais écrire. Je pourrai jamais oublier ça. Tu comprends ? Ben Vincent c'est pareil. Il m'a pas apporté la même chose, ça a rien à voir, mais j'ai compris le type d'homme que j'aimais grâce à ma rencontre avec lui. J'ai compris que j'étais pas obligée d'être avec un de ces mecs qui savent toujours tout. Que c'était pas ça, les hommes que j'aime vraiment. Voilà, en gros. Tu comprends ou pas ?

Il ne me regardait plus. Il regardait le jardin.

— Mais je reste avec toi Alex. Je vais jamais te quitter.

J'ai rejoint Réjane dans un café à Pigalle. On s'y retrouvait depuis qu'on se connaissait. On y avait notre table près d'une fenêtre. On a parlé du livre qu'elle était en train d'écrire, puis elle a dit :

— Je peux te poser une question qui n'a rien à voir ?

— Oui.

— Quand t'avais dix-huit ans, vingt ans, même avant, t'avais l'impression d'être comme les autres ?

— Totalement oui. Je me trouvais banale, même, si tu veux savoir.

— Moi depuis toute petite je pense que je suis différente. Autour de moi, il y avait personne qui me ressemblait. Je jouais toujours toute seule.

— À quoi tu jouais ?

— À la poupée. Je sais que ça fait bête.

— Non, moi aussi.

— Et sinon ? Vincent t'a appelée ?

— Je sais même pas s'il a demandé mon numéro à Alex.

— Il avait pas dit, après le concert, qu'il te ferait un texto dans la nuit ?

— Il l'a pas fait. Tant mieux. Parce que s'il le faisait…

— Ah ouais ? Ce serait compliqué pour toi ?

— Très. J'ai la tête à l'envers là.

— Moi aussi il y a quelqu'un comme ça qu'il faudrait pas que je revoie. Ou alors quand on sera vieux. Vincent, j'ai trouvé qu'il avait quelque chose de… d'un peu… comment dire ? Diabolique.

— Qu'est-ce qui te fait dire ça ?

— Je sais pas. J'avais l'impression qu'il se cachait derrière son piano. Peut-être pas diabolique. Obscur disons. Alex est tellement lumineux en comparaison.

— Oui enfin. Pas tous les jours.

— Il y a une lumière chez Alex.

— Quand il sourit, oui. M'enfin le soleil il se voile, tu sais, parfois.

— J'imagine. Mais quand même. Ils sont le contraire l'un de l'autre, je trouve.

— Ce matin, j'ai eu une conversation avec lui, il était pas lumineux du tout.

— Lumineux, ça veut pas dire naïf. Il est peut-être inquiet. Parce qu'il observe beaucoup j'ai remarqué.

— Ça c'est sûr. Ça m'empêche de respirer d'ailleurs. J'étouffe. J'ai besoin d'air. J'ai l'impression qu'il voit tout, j'en peux plus.

— Ouais, mais c'est quand même un prince.

— Est-ce que j'ai envie d'être avec un prince moi ? C'est ça la question. Désargenté en plus. J'en ai marre de ça aussi, tu comprends. J'aimerais bien de temps en temps être avec quelqu'un qui me prend en charge un peu matériellement. Cela dit, j'ai vécu ça avec Claude. Je connais. Ça n'a rien d'extraordinaire. Je sais plus, peut-être que si. Je sais plus où j'en suis.

44

Un soir, Alex s'est fait voler son sac à dos au théâtre avec ses clés à l'intérieur. Il a dormi chez Vincent. Le matin il a sonné à la porte. J'ai ouvert en pensant : « J'aurais pu ne pas ouvrir. Il n'aurait pas pu rentrer. J'en serais débarrassée. Non, parce qu'il m'aurait attendue sur le palier. Ç'aurait été un enfer. Et il est chez lui. J'ai pas le droit de faire ça. On a signé le bail tous les deux. Il ne faut pas que je pense des choses comme ça. »

Le lendemain, il dormait encore à midi. Je suis allée dans sa pièce. Il était couché dans la pénombre. Il m'a dit de refermer, la lumière le gênait.

— Qu'est-ce que tu fais ?

— J'ai comme une barre sur le front. Ça fait super mal.

— Tu veux que j'appelle un médecin ?

— Je suis fatigué, c'est tout.

— Tu travailles aujourd'hui ?

— Je retourne pas dans un théâtre où il y a des voleurs.

— C'est pas forcément les gens du théâtre qui ont pris ton sac à dos. Il y a tellement de monde qui passe dans une loge. T'as été payé à propos ?

— Je vais te rembourser ce que je te dois. T'inquiète pas.

— Qu'est-ce que tu racontes, je te parle pas de ça. Je te demande si t'as été payé c'est tout.

Une heure plus tard, il était dans le couloir, habillé, prêt à partir.

— Il y a Vincent qui m'attend.

— Tu sors alors finalement.

— Oui. Il m'attend en bas.

Je me suis approchée d'une fenêtre pour essayer de l'apercevoir. J'ai pensé que j'étais ridicule. Je suis retournée dans le salon. Et j'ai lu. Je lisais un livre de Fitzgerald.

Quand il est revenu, Alex a dit :

— Vincent m'a demandé ton numéro. Il va t'appeler.

J'ai mis le téléphone au pied de mon lit plusieurs nuits d'affilée. Puis j'ai cessé d'attendre. J'étais heureuse d'avoir revu Vincent. Ça s'arrêtait là.

Une période paisible a suivi. Alex rentrait tôt. J'étais heureuse de le retrouver. On dînait ensemble. On se couchait à la même heure. Dans notre chambre. Il caressait ma taille. Il embrassait ma nuque. Il mettait son sexe entre mes jambes. On faisait l'amour, ou on s'endormait comme ça. Je lui disais que je l'aimais. Et, quand je pensais à la mort, c'était son visage que j'imaginais, penché au-dessus du mien.

Quelques jours plus tard, je lisais, sur la table basse, mon téléphone clignotait. J'avais un texto : « Entre nous pas de préambule ni de préface. Entrons dans le vif du sujet !!! Comment va ton moi sans moi ? » Avec un numéro suivi d'un V.

Le lendemain, dans ma chambre, appuyée contre mes oreillers, j'ai tapoté sur le clavier de mon appareil : « Mais mon moi n'est plus jamais sans toi. Je pense à toi tous les jours. Depuis dix ans. C'est comme ça. »

Alex dormait à côté de moi.

L'après-midi, Vincent m'a appelée. C'était la première fois depuis qu'on s'était revus qu'on se parlait librement.

— On est bien là au téléphone tous les deux...

— *Très* bien.

— C'est triste.

— Mais non. Pourquoi ?

— Si c'est triste Vincent.

— On est là. On est bien. On s'est retrouvés. C'est pas triste.

— Si. C'est triste parce qu'on n'est plus ensemble.

— On se perdra plus maintenant. On sait.

— Qu'est-ce qu'on sait ?

— Ça sert à rien de se fuir.

— Pourquoi tu dis ça ? Tu penses qu'on va se retrouver ?

— On est déjà ensemble.

— Oui si tu veux mais... pff...

— Tu le sens pas ?

— Si.

— Alors on reste ensemble. C'est tout.

— Oui mais comment ?

— Pour l'instant comme ça. On n'est pas des enfants. On fait attention aux gens qu'il y a autour de nous, après on...

J'ai entendu un bruit de clé. On s'est dit « je t'aime », et on a raccroché.

Il se souvenait de choses que je lui avais dites dix ans plus tôt. De situations qu'on avait vécues. De livres dont je lui avais parlé. De phrases prononcées dans des disputes. On venait d'en rire au téléphone. On se souvenait des mêmes détails. Des mêmes scènes. Je les pensais oubliées. Je n'en avais parlé avec personne depuis dix ans.

Deux jours après, il a rappelé.

— Tu veux quoi, toi, Vincent ?

— Être avec toi.

— Comment on va faire ?

— Tu vas pas dire à Alex de partir du jour au lendemain…

— Ah non, ça, c'est sûr.

— Voilà. Mais on va se retrouver. C'est sûr et certain.

J'ai pensé : « Il y a quelque chose à l'intérieur de lui qui ment. Comme à l'intérieur de moi quand je dis à Alex que je vais rester avec lui. Mais il y a aussi quelque chose de vrai dans sa voix. Et du coup forcément dans ce qu'il dit. Forcément. »

Dans le livre de Fitzgerald, j'ai coché une phrase : « Une petite voix intérieure lui disait qu'il essayait son pouvoir sur elle, qu'il s'agissait seulement d'un jeu pervers. Puis une autre voix, apparemment plus forte, le lui pardonna, et lui fit interpréter cette demande impérieuse comme un appel désespéré. »

La semaine suivante, je n'ai pas eu de nouvelles. Un après-midi, Alex a traversé le salon téléphone à l'oreille. Il disait : « Tu reviens quand ? » Après un silence il a raccroché.

— T'étais avec qui au téléphone ?

— Avec Vincent, pourquoi ?

— Il est pas à Paris ?

— Il est en Roumanie, il revient mardi. Il est obligé, il y a un concert mercredi. Moi j'ai un montage à finir.

Il est allé dans sa pièce.

C'était le début de l'hiver. Les branches des arbres se dénudaient. Il y avait du vent. De la lumière. Sur le balcon les branches du bambou se balançaient. J'étais à mon bureau. Le carnet noir dans lequel j'avais écrit : « Voilà c'est reparti. L'amour... le cœur qui bat... » était posé à côté de moi. Je tapais la phrase afin de déchirer la page. J'ai senti une présence. Alex était derrière moi. Ma respiration s'est bloquée. J'ai rabattu l'écran sur le clavier. Je suis allée dans la cuisine, l'air de rien. Et j'ai commencé à préparer le dîner :

— C'est où le concert mercredi ?

— À Paris.

— Où à Paris, tu sais ?

— Vers les Champs je crois.

Ensuite, il a regardé un match, j'étais sur le fauteuil près de la fenêtre. Il était allongé sur le canapé. Les jambes enveloppées dans une couverture, la tête posée sur des coussins. Il faisait nuit. On distinguait à peine dans l'obscurité le mouvement d'une branche de bambou pliée par le vent. Quelques écrans de télé étaient allumés dans les appartements d'en face. C'était calme. Des ronflements commençaient à monter du canapé. J'ai regardé le dernier épisode d'une série en luttant moi-même contre le sommeil. Après avoir caressé le visage d'Alex en passant, je suis allée me coucher. Lumière éteinte, dans mon lit, j'ai pensé à ma vie. Je voyais des images de celle que j'aurais pu avoir si les circonstances de la mienne avaient été différentes. Moins tragiques. Il y a eu un bruit dans le vestibule.

— Alex !

Il a ouvert la porte ·

— Oui.

— Tu viens te coucher ?

— Il faut que je finisse le montage.

— Tu dormais tout à l'heure dans le canapé, tu es fatigué. Viens.

Il s'est assis au bord du lit.

— Il faut que je finisse ce truc. On en a besoin pour demain.

Il a caressé ma joue, mes cheveux. Il m'a embrassée. Il est sorti. Dans le noir, les yeux fermés, j'ai pensé : « Il est mon papa. J'ai beaucoup de chance de l'avoir rencontré. Et de découvrir, à mon âge, une sensation que je n'ai pas connue enfant. »

Le lendemain, il a porté le montage à la production. Pendant son absence, j'ai appelé Vincent.

50

— T'as un concert demain c'est ça ?

— Je suis à l'aéroport là. Je vais monter dans l'avion. À demain !

— À demain, c'est-à-dire à demain !? Tu veux que je vienne ?

— Ah oui, t'es obligée !

J'ai appelé Claire. L'amie à qui j'avais téléphoné un an plus tôt quand j'avais aperçu Vincent en sortant du métro. Je lui ai proposé de m'accompagner. Être avec Alex n'avait plus d'importance. Vincent me disait de venir, j'allais venir.

Il est entré en scène. Il m'a vue. J'étais au premier rang. À la fin Alex est venu nous chercher. On a pris un escalier en colimaçon. Qui débouchait sur une grande loge commune. Au milieu, il y avait des fauteuils en cercle. Contre le mur du fond, un canapé défoncé entouré de chaises. Deux banquettes dans un angle. Vincent était assis sur l'une d'elles. Je lui ai présenté Claire, on s'est mises sur l'autre banquette. Vers minuit, elle a dit qu'elle était fatiguée. Elle a repris l'escalier. Alex est arrivé.

J'étais assise. Il était debout.

— Tu fais venir des gens, et tu les laisses rentrer seuls ? Je comprends pas ce que tu fais.

— Je la laisse pas seule ! Elle veut rentrer. Elle rentre quand elle veut.

— Je comprends pas pourquoi tu veux rester. Je croyais que demain tu partais tôt.

Je me suis levée.

— Écoute. D'abord, il est pas très tard. Ensuite, Claire est une grande fille.

— Ça se fait pas ce que tu fais. Qu'est-ce qu'il y a qui t'intéresse là ? Pourquoi tu veux absolument rester ?

— Ouh là. Là tu me fatigues là. T'as raison, je vais partir. Parce que si tu commences comme ça… Bon. OK ! Je m'en vais j'en ai marre… T'es insupportable Alex.

Il s'est éloigné.

J'ai dit à Vincent que je rentrais.

— Déjà ? Pourquoi ?

— C'est mieux. Je t'expliquerai.

— Je t'accompagne en bas alors.

On a pris l'escalier en colimaçon. Il m'a donné la main. Il l'a lâchée. Alex venait de s'engager dans l'escalier. En bas, je suis restée dans le hall le temps de dire au revoir à Vincent. Une grande porte métallique donnait sur la rue. Ralentie par un groom. Alex l'a poussée. Il est sorti. Elle se refermait lentement. J'ai aperçu la silhouette de Claire qui attendait le taxi sur le trottoir. Je me suis approchée du visage de Vincent, il a mis ses lèvres sur les miennes. J'ai détourné la tête. J'ai fait un pas en arrière. La porte s'était rouverte entre-temps. De l'extérieur, les jambes plantées dans le sol, Alex me fixait.

Je lui ai fait signe que j'arrivais.

Quelques minutes plus tard, dans le taxi, Claire a dit :

— C'est impressionnant !

— Qu'est-ce qui est impressionnant ?

— La proximité que vous avez. C'est la première fois que je te vois avec lui.

— Ça se voit de l'extérieur ?

— Ah oui !!

— Alex le voit aussi, alors. Forcément.

— Forcément.

— De toute façon j'aime Vincent. Qu'est-ce que j'y peux ?

— Fais attention.

— À quoi ? À ma vie avec Alex tu veux dire ?

— Oui. Je pense que tu y tiens.

— Oui j'y tiens.

— Il faudrait pas qu'il te claque dans les doigts. Fais attention aussi à Vincent à mon avis.

— Pourquoi, parce qu'on est si proches ? Attention à quoi ? À ce que ça se voie pas trop ? Ou attention parce qu'il est dangereux ?

— Lui il a intérêt à foutre le bordel entre vous. Toi, je sais pas. Enfin... Je suppose que tu sais ce que tu fais...

— Non justement. Je le sais pas. J'ai l'impression d'être une sorte de... Je sais pas. De fétu de paille. Je suis tellement bien avec Vincent. C'est dur quand je dois le quitter. Comme tout à l'heure. J'ai l'impression de m'arracher à...

— T'aimerais vivre avec lui ?

— Non. Je connais. J'ai pas envie de recommencer. Mais... enfin... Je suis heureuse avec lui comme avec personne. Rien que d'en parler, là... Je sens ma gorge qui se noue. Je peux pas ne pas me l'avouer ça. Je le sens. J'en peux plus de la surveillance d'Alex, il est là mon problème. C'est ça, pour moi, qui est dangereux. C'est qu'Alex me possède. Vincent oui, oui peut-être c'est dangereux, oui… De toute façon quand t'aimes quelqu'un, t'as un sentiment de danger. Non ?

— Non.

— Ouais t'as raison. Pas toujours. Au contraire on peut même avoir un sentiment de sécurité. Je sais pas. Je comprends plus ce qui se passe dans ma vie.

— Moi j'ai jamais vu Alex comme ça en tout cas.

— Comme dans la rue ?

— Pendant toute la soirée. Mais surtout dans la rue. Il était dans un état !

— Il s'est passé quelque chose dans le hall. J'ai peur qu'il ait vu. De toute façon il voit tout.

— Ah ça il capte. Il a des antennes !

— Il a peut-être des antennes, mais moi je suis pas une chose… J'ai l'impression d'avoir aucune liberté, qu'il est toujours là, au courant de tout.

— Qu'est-ce qu'il s'est passé dans le hall ?

— Vincent a essayé de m'embrasser. J'espère qu'Alex a pas vu.

— Hum… C'est ça qui expliquerait son état !

— Toi, t'as rien vu de là où t'étais ?

— Je ne regardais pas à l'intérieur. Je surveillais le taxi. Je regardais le bout de la rue.

— Vous étiez au même endroit. Il était à côté de toi sur le trottoir. Si toi t'as rien vu normalement…

— Fais quand même attention.

— Comment on fait attention quand on aime quelqu'un, c'est ça moi que je comprends pas.

— Je voudrais juste ne pas avoir à te ramasser à la petite cuillère dans quelques mois. T'as vu dans quel état j'étais, après mon histoire avec l'autre !? T'as quand même beaucoup à perdre.

— T'en es où ?

— En pleine dépression.

— T'es toujours gaie quand je te vois…

— Ah… C'est parce que je cache mon jeu ! J'ai été élevée comme ça. J'ai toujours caché mon jeu. C'est mon problème. Je suis tellement bien élevée, tu comprends…

— C'est différent quand t'es chez toi ?

— Ça !

— Tu pleures ?

— Trois heures hier. Elle m'a bousillée cette fille. J'ai quand même tout plaqué pour elle ! Je serais allée au bout du monde au sens propre. Six mois après regarde. C'est une destruction. Bon, t'es arrivée… On s'appelle demain ?

Je lui ai fait signe à travers la vitre qu'on se téléphonait le lendemain.

Je ne voulais pas quitter Alex. L'idée de perdre Vincent une deuxième fois m'était insupportable. Je n'ai pas dormi. J'ai ressassé toute la nuit. Le matin, j'ai appelé Claire.

— Je sais plus où j'en suis.

— Est-ce qu'on peut se rappeler plus tard ou demain ? Je sors là.

— Pardon Claire. Excuse-moi de te déranger ! Je suis vraiment désolée. Je suis perdue… J'arrive pas à réfléchir. Merci de ton amitié. Excuse-moi. Si tu peux, on se parle plus tard, sinon c'est pas grave.

— T'excuse pas. Fais attention. C'est tout ce que je te demande. Allez, on se rappelle.

Alex était debout à côté de mon bureau. Il venait de se lever.

— Je te dérange ? Je peux te parler ?

— Je travaille… mais dis-moi.

— Ce que j'ai vécu hier, je vais jamais le revivre.

— C'est-à-dire ?

— Ça m'intéresse pas de voir Vincent qui t'embrasse sur la bouche. Toi c'est peut-être ce que tu veux, moi ça m'intéresse pas.

— Il m'a pas embrassée sur la bouche, qu'est-ce que tu racontes ?

— Me prends pas pour un couillon.

— Je te prends pas pour un couillon, mais il m'a pas embrassée sur la bouche.

— Je t'ai vue.

— Ah bon !? C'est bien si tu m'as vue, si tu m'as vue, tu as dû voir que j'ai détourné la tête. Tu l'as vu ça ? Ou pas ? Si tu vois tout, normalement, tu as vu ça aussi.

— Tu me prends pour un couillon.

— Tu dis que tu as vu, si tu as vu… tu as vu que Vincent, qui avait un peu bu, entre parenthèses…

— Vincent il boit pas spécialement Vincent…

58

— Arrête de m'interrompre, je suis en train de te parler !

— Si t'avais quelque chose à dire, tu l'aurais déjà dit.

— Non, parce qu'il faut toujours que tu m'interrompes. J'arrive pas à parler avec toi. C'est un enfer. Bon, je suis obligée de tout reprendre… Tu me laisses parler… Tu comprends pas qu'une phrase c'est un souffle ? Chaque fois que tu m'interromps, je suis obligée de tout reprendre depuis le début. Parce que je reprends mon souffle.

Il allait à la fenêtre, il regardait le jardin. Il revenait, il repartait.

— Le souffle de ma phrase. Il y a un souffle dans une phrase. Bon, j'y vais là. Je reprends. Je peux y aller ? Tu me laisses finir ce que j'ai à dire ? Tu m'interromps pas.

— Si t'as quelque chose à dire vas-y…

— Oui j'ai quelque chose à dire. Justement. Bon. Tu dis que tu as vu. Donc, si tu as vu… tu as vu que Vincent s'approchait de moi, en effet, en essayant de m'embrasser…

— Je sais ce qu'il a fait.

— Arrête de m'interrompre !

— Me prends pas pour un couillon, Vincent je le connais.

Sa voix couvrait la mienne, on n'entendait pas ce que je disais.

— Mais oui, on le sait. Il y a que toi qui connais Vincent. Tu connais tout. Tu me connais. Tu connais

Vincent. Tu comprends ce qu'il fait. Tu sais ce qu'il pense. Ce qu'il ressent. Tu vois tout. Mais non, mon vieux, tu vois pas tout. Justement. Et ce que tu fais, tu le comprends aussi je suppose !? Est-ce que tu comprends ce que tu fais, toi ? Ou il y a que les autres que tu comprends ? Et que tu vois ? Toi, tu te vois ? En train d'observer là ? De tout contrôler ?

— C'est pas de moi que tu parles !

— Bien sûr. Toi personne peut te voir.

— Ça m'intéresse pas ce que tu racontes !

— Personne peut dire quelque chose de juste à ton propos. Ça ne peut pas t'intéresser. Alors que toi. Toi, tu vois les autres. C'est ce que tu crois du moins.

— En tout cas, je t'ai vue.

Il marchait dans l'appartement, je marchais derrière lui.

— Très bien. Alors, si tu m'as vue, tu as vu que j'ai détourné la tête, et que donc il ne m'a pas embrassée. OK ? Il ne m'a pas embrassée sur la bouche.

— Je suis un menteur ?

— Non, t'es pas un menteur. Tu crois avoir vu quelque chose que tu n'as pas vu. Et t'as pas vu parce que ça n'a pas eu lieu. T'as vu une partie, du mouvement, sans doute. T'as pas arrêté de me surveiller de toute façon. T'étais obligé de voir quelque chose à un moment. Et de me faire la morale. De me dire qu'il fallait que je rentre à telle heure, que je laissais Claire toute seule... Mais t'es insupportable. De quoi tu te mêles ? T'es insupportable Alex en ce moment. Tu sais j'en ai marre moi. Parfois. Aussi. D'être sous surveillance. J'ai pas de vie. Il faut toujours que tu contrôles tout.

Il s'est retourné.

— Tu me traites de contrôleur ? Je suis pas la personne que tu dis !

— Si t'es pas cette personne, alors arrête de faire certaines choses, Alex.

Il est allé dans sa pièce. Et il a claqué la porte.

Derrière la porte fermée, j'ai crié :

— Toi non plus Alex tu parles pas de moi !! Toi non plus ! C'est pas de moi que tu parles. Tu parles de quelqu'un qui est dans ton fantasme. C'est pas moi cette personne. Et j'en peux plus. Tu m'entends ? J'en peux plus !!!!!

De l'autre côté, il a crié :

— Moi non plus j'en peux plus.

On s'était juré Vincent et moi de ne jamais se perdre. Puis on a eu un moment difficile. On s'est éloignés. J'ai croisé Alex dans Paris par hasard. Notre histoire a commencé. Vincent est revenu peu de temps après. Je lui ai dit ce qui se passait. Ils se sont donné rendez-vous :

— Ça se fait pas ce que t'as fait Alex. On sort pas avec la femme d'un ami. Pourquoi t'as fait ça ? Pourquoi tu veux être avec elle ? Qu'est-ce que tu veux, qu'est-ce que tu cherches ? C'est quoi ton intérêt ?

— Parce que j'ai pas d'argent, tu penses que je suis avec elle par intérêt ? C'est ça que t'insinues ? Je l'aime. C'est tout.

Vincent a pris un air dubitatif. Ça a blessé Alex.

Le lendemain, Vincent est venu chez moi. En entrant dans l'appartement, il a mis sa main entre mes jambes. Il a touché mes seins, il a soulevé mon pull. Il a regardé par l'ouverture de mon tee-shirt. Je me suis écartée. Je lui ai dit que je l'aimais, que je l'aimerais toujours, mais que c'était fini. La vie avec lui était trop difficile. On a fait l'amour. Il est parti. En descendant l'escalier, il m'a fait un signe de la main :

— À tout à l'heure.

Au cours des neuf années qui ont suivi, je ne l'ai pas revu. Je pensais ne jamais le revoir.

J'étais allongée sur le canapé, j'avais la gorge nouée. Pour desserrer l'étau, j'ai pleuré. Je suis retournée dans la pièce d'Alex.

— Tu dors ?

Il n'a pas répondu.

— Alex…

— Je dors pas.

Le drap était remonté sur sa tête. Des mèches de cheveux dépassaient.

— Tu veux que je voie plus Vincent ? C'est ça ? Y a pas de problème si c'est ça. Mais dis-le. Clairement.

Il s'est mis sur un coude, et s'est tourné vers moi :

— Pourquoi on se parle comme ça belle ?

— C'est quelqu'un que j'ai beaucoup aimé Vincent. Alors là, de le revoir, c'est pas simple. Excusemoi Alex. Excuse-moi si je t'ai fait du mal. Par manque de... de calme, de délicatesse...

— Moi je suis avec toi.

— Moi aussi Alex. Je suis pas ton ennemie.

Je me suis assise au bord du lit, et j'ai glissé ma main dans ses cheveux.

— ... C'est pas facile tu sais Alex. Mais ça va aller. C'est le passé qui revient là. C'est bizarre. Mais c'est un moment, c'est tout.

— Si le passé revient moi je m'en vais ! Le passé qui revient. Le passé qui revient. J'en ai rien à foutre. Le passé qui revient ! Je m'en vais moi si il revient.

Il s'est levé. Il marchait. Il répétait « le passé qui revient ».

Je le suivais.

— Calme-toi. Alex. Je t'en prie. Arrête. Arrête de marcher comme ça. Faut pas qu'on s'énerve. On n'y arrivera pas sinon.

— Je m'énerve pas !!

— Mais si, regarde comme tu marches... Regarde comme tu parles. Me dis pas que t'es calme.

— J'ai pas apprécié ton comportement hier soir ! C'est tout ce que je dis.

— Quel comportement ? Quel comportement ? J'ai rien fait. Je me suis détournée, je te dis. Il m'a pas embrassée.

Il s'est arrêté.

— Tu fais des choses, parfois, qui blessent les gens.

Il était face à moi.

— Je te dis qu'il m'a pas embrassée. J'ai fait un pas en arrière.

— Je te parle pas de ça.

— De quoi tu parles alors ?

— De choses que tu fais. De choses qui blessent.

— Qu'est-ce que je fais ?

— Quand tu es entrée dans la loge, hier, c'était moi qui te tenais la porte. Tu m'as même pas vu. T'es passée comme ça. Devant moi. Tu m'as pas regardé. T'as vu Vincent. C'est tout. T'as rien vu d'autre.

— Je suis désolée Alex. Tu veux pas qu'on s'assoie ? Plutôt que de tourner dans l'appartement ?

On s'est installés dans le salon.

— T'as même pas vu que c'était moi qui te tenais la porte. T'étais pressée d'aller le retrouver. T'es passée. Comme ça. J'étais comme un portier. Un putain de portier.

— Excuse-moi.

— Et encore, un portier tu l'aurais peut-être vu !

— Je suis désolée Alex. Je t'ai vu après. T'étais sur un fauteuil. Tu parlais avec des gens que je ne connaissais pas.

— Tu m'as pas jeté un seul regard. De toute la soirée.

— Si. Mais on vit ensemble Alex. Alors oui, c'est vrai… quand on sort, je regarde des gens avec qui je

64

ne vis pas. Y a rien d'extraordinaire à ça. C'est normal. Je suis à l'extérieur, je regarde les gens. Mais, c'est avec toi que je suis. Je suis avec qui, là, aujourd'hui ? Je suis assise près de toi. Tout à l'heure, j'avais ma main dans tes cheveux. On vit tous les deux. C'est toi que je vois tous les jours. Depuis neuf ans. C'est toi que j'ai choisi. Il faut que je te regarde encore quand on sort ?

— Moi c'est toi que je regarde.

— Oui mais c'est trop Alex. Moi, quand on sort, il faut que je respire. Je peux pas ne regarder que toi et personne d'autre. C'est pas possible ça. Je peux pas. Je veux pas.

— Je dis pas ça. Tu le sais très bien. Fais pas semblant.

— Je t'ai peut-être pas regardé regardé. Je t'ai peut-être pas regardé tout le temps. Mais je savais où tu étais à tout moment. C'est normal que j'aille vers Vincent après le spectacle, il sort de scène.

— Ça fait mal. C'est tout ce que je dis. Je le dis pour que tu t'en rendes compte.

— Combien de fois il faut que je dise que je suis désolée ? Hein, combien ? Combien ?

— C'est pas grave. Mais il y a des blessures irréparables, alors fais attention. Je parle pas que de moi. Y a des gens autour de toi. T'invites une amie, tu la raccompagnes pas. T'es quelqu'un de correct d'habitude. Je te reconnais pas des fois. Moi je vais pas rester dans cette vie. Si tu veux que je parte, t'as qu'à le dire.

— Qu'est-ce que tu racontes ?

— T'as très bien compris. Si tu veux te débarrasser de moi, dis-le. Je vais parler à Vincent. S'il veut retourner avec toi, je vais partir, c'est pas compliqué. Je m'inclinerai. Je rentrerai chez moi.

— Tu penses que j'ai envie d'aller vivre avec Vincent ? Je la connais moi la vie avec Vincent. Merci beaucoup. J'ai pas envie de recommencer.

— Lui il veut, peut-être. Je comprends pas pourquoi il essaye de t'embrasser sinon…

— Il avait bu !

— Vincent il boit pas ! Je vais lui parler. Comme ça je saurai ce que j'ai à faire. Il va me dire ce qu'il cherche.

— Voilà. C'est ça. Réglez vos histoires entre vous. Faites vos trucs entre mecs. Comme si ça me concernait pas. J'ai détourné la tête, je te dis. Ma parole a aucune valeur ? Ça compte pas !? Pourquoi je parle ?

Il a fait un geste du bras vers l'appartement et le jardin :

— Je retourne en Martinique, moi je m'en fous de tout ça.

— Ben vas-y. Retournes-y. Retournes-y en Martinique. Depuis le temps que tu dis que tu vas le faire. C'est peut-être le moment.

Mon téléphone était sur la table basse. La petite lumière clignotait. J'avais un texto : « Une fois que tu es partie hier, je me suis senti triste et isolé. »

Mon cœur s'est serré. C'était une vraie douleur. Ça faisait mal. J'ai pensé : « Bon. J'aime Vincent.

Mais j'espère qu'il sera possible de ne pas faire l'amour avec lui. » J'ai tapoté : « Ma journée est très difficile aujourd'hui. Je t'expliquerai. Pas maintenant. Je ne suis pas seule. Alex t'a vu m'embrasser sur la bouche ! Il est furieux. La vie peut être triste. Si seulement on pouvait réfléchir intelligemment tout en aimant. Moi aussi j'étais triste hier en te quittant. »

Il a répondu : « On essaye, mais on sera jamais unis. »

Alex venait de rentrer. Il se dirigeait vers le balcon.

— Voilà, maintenant c'est clair.

— Tu lui as dit quoi ?

— Ce que j'avais à lui dire.

— C'est-à-dire ?

— La vérité.

— J'ai pas le droit de savoir ?

— Que j'acceptais pas de le voir t'embrasser sur la bouche. Que j'allais pas vivre ça une deuxième fois.

— Qu'est-ce qu'il a répondu ?

— Je sais plus. En tout cas il a compris.

Le lendemain, j'étais à Bordeaux. Le soir, de ma chambre d'hôtel, j'ai appelé Vincent. Sa voix me berçait. Mon souffle retrouvait son rythme naturel. C'était comme si ma cage thoracique avait été compressée pendant des années, qu'elle reprenait son volume. Je respirais. Ensuite j'ai appelé Alex. Je lui ai dit que ma journée s'était bien passée, que j'étais fatiguée, et que j'allais me coucher.

Je me suis endormie. Il était onze heures. Vers deux heures mon téléphone a sonné. C'était Vincent. On était la même personne. On avait les mêmes mots dans la tête. Pas besoin de les dire. À partir d'un son, d'une inflexion, d'un silence, les mêmes ondes se propageaient. Les mêmes résonances. Les mêmes rires. La rupture n'avait jamais eu lieu. C'était un aléa. Un accident de parcours. Notre route reprenait. On a parlé de ce qui s'était passé neuf ans plus tôt. Des raisons qui avaient fait qu'on s'était éloignés. Pourquoi on ne s'était pas rappelés.

— Neuf ans sans entendre ta voix Vincent, comment c'est possible !?

— On avait besoin de ça pour comprendre. Maintenant on sait.

— Tu savais pas que je t'aimais à l'époque ? J'avais des réactions de peur. Mais j'étais sincère. Tu le voyais ça quand même.

— Je pensais que t'allais me quitter. J'ai fui, parce que je voulais pas que tu partes avant moi.

— Être avec toi, c'est une des choses qui me rendent le plus heureuse. Tu me l'enlèveras plus ça ? Tu partiras plus ?

— Ça serait bête, maintenant que j'ai compris.

Les neuf années qui venaient de passer n'avaient jamais existé. Elles étaient effacées. Alex n'existait pas. C'était une donnée de la réalité avec laquelle il allait falloir composer. Un intermède. Une intempérie dont il fallait se protéger.

— Regarde comme on est bien... Pourquoi on n'est pas restés ensemble ? Oh Vincent pourquoi. Pourquoi Vincent. Hein !?... Dis-moi pourquoi.

Ma gorge s'étranglait.

— Excuse-moi.

Ma voix s'est mise à trembler. J'ai pleuré.

— Pardon Vincent. Je pense à tout ce qu'on a raté. Alors je suis mal. En même temps que je suis heureuse. Tu comprends ?... Je pense à tout ce temps qui est passé. Qui est perdu. Je pense à tout ce qu'on n'a pas réussi à vivre. À tout ce qu'on n'a plus. Qu'on n'aura jamais. On aurait *pu* l'avoir. Si on avait été un peu courageux. Un peu intelligents. Le temps, on peut pas le rattraper. T'es conscient de tout ce qu'on a eu ? Et qu'on n'a plus. On l'a eu Vincent. On l'a eu. On l'a laissé filer. Tu comprends !? On n'aurait pas dû. Quelle honte. C'est de ma faute aussi, j'ai été lâche. Tu te rends compte de tout ce qu'on ne vivra pas, qui se retrouvera jamais. Qui est foutu. Qui était là. Et qui est plus là. Tu te rends compte de ça ? Ça reviendra jamais Vincent. C'est foutu. C'est fini. Le temps, il ne reviendra pas. Il reviendra plus.

J'avais mal, tellement ma gorge était serrée.

— Je suis contente de te parler, mais...

— Pleure pas. La vie est pas finie. Regarde comme on est bien. C'est pas grave tout ça.

— Si, c'est grave. Parce que... j'ai pas pu arriver à vivre avec toi. Alors que je t'aimais. C'est grave. C'est triste. C'est triste de pas réussir à vivre avec la personne qu'on aime. Tu trouves pas ?

— Si. Très triste.

— Quand on était ensemble, j'arrivais pas à être bien avec toi tout le temps. Je m'en veux de ça. J'ai pas eu confiance en toi, pas assez. Ça veut dire quoi aimer quelqu'un et ne pas avoir confiance en lui ?

— C'est normal.

— Pourquoi ?

— C'est des réactions.

— Non. J'aurais dû être plus forte. Plus sûre. J'avais toujours peur que tu me mentes. J'ai voulu fuir. J'ai été lâche.

— Pourquoi tu dis ça ?

— Parce que j'aurais dû avoir confiance même si tu mentais. Comprendre que c'était une protection. Mais j'avais besoin de quelqu'un sur qui je puisse m'appuyer, et qui fasse attention à moi. Et voilà, c'est pour ça… et…

L'hôtel donnait sur une cour intérieure éclairée par des spots. Une lumière électrique violente traversait les rideaux.

— On est tous les deux maintenant, ma chérie. Je peux dire ma chérie ?

— Oui… mais c'est plus possible maintenant. Il souffre Alex quand il te voit m'embrasser. Il faut pas qu'on lui fasse de mal. Il a pas mérité ça. Il m'a tellement apporté. Comment j'aurais fait s'il avait pas été là.

— J'avais pas l'intention de faire du mal à Alex. J'ai vu que toi pendant le concert…

— C'était bon hein de se regarder…

— Très bon. Je me suis laissé emporter par le courant. J'avais l'impression que je pouvais. J'aurais dû me retenir.

— J'aime tout ce que tu es Vincent. Tout. Tes yeux. Ta façon de marcher. Ta voix. Et toi ? Qu'est-ce que t'aimes, toi ? Chez moi.

— J'aime quand il y a plein de monde, et que j'ai l'impression d'être tout seul avec toi. J'adore ça. Il y a que toi qui me comprends. Pour toi c'est pareil, je le sais. Il y a que moi qui te comprends. Un jour, tu te rendras compte que t'es pas libre. T'es pas libre du tout.

— Qu'est-ce que tu veux dire ?

— Quand on n'est pas ensemble, tu es à côté de ta vie. Il y a qu'avec moi que tu trouveras ton oxygène. Tu trouveras que du gaz carbonique ailleurs.

— C'est vrai. C'est horrible. C'est pour ça que je veux plus jamais te perdre. Si je te perds, je rate ma vie. C'est horrible…

— Non. Parce que là tu es en salle d'attente. Un jour je viendrai te chercher. Et ça sera pas un petit baiser volé. Alex pourra rien faire ce jour-là. Alors on va régler toutes nos histoires, sans blesser personne, on va faire les choses bien, et on va se retrouver.

— Quand, quand, quand ?

— Bientôt.

— Elle passe la vie Vincent. J'en ai marre moi. Il faut que j'attende d'être à l'hôtel pour pouvoir

73

t'appeler. Dès que je prends mon téléphone, Alex est derrière moi. Prêt à bondir.

— Tu te rends bien compte qu'il t'aime ! Tu peux pas le lâcher comme ça d'un coup.

— C'est pas ce que je fais, justement. Mais nous. Nous. Nous Vincent. Nous deux. On sera jamais ensemble nous, si on fait tout le temps attention aux autres.

— Si. Parce qu'une situation réparée est mieux qu'une situation qui a jamais été abîmée. Ouh là, je t'ai dit trop de trucs moi ce soir. Allez, dors bien. Il est trois heures, tu vas être fatiguée demain. Je t'aime.

Dans le lit bien chaud, tout me paraissait merveilleux. En m'endormant, je souriais.

L'avion approchait de Paris. La joie s'évaporait. J'ai pris un taxi à l'aéroport. J'ai pensé : « J'aime Alex, mais c'est devenu un amour de routine. » Vincent m'a appelée. On s'est dit qu'on était heureux, qu'on s'aimait, qu'on avait de la chance de se connaître. Que pour toutes ces raisons il fallait qu'on soit gais. J'ai reçu un texto d'Alex. Il disait qu'il était impatient de me retrouver.

En le voyant j'ai pensé : « Il est plus beau que Vincent. » Il était dans la cuisine. Il portait un pull gris torsadé. Il avait acheté des girolles, il les remuait dans la poêle. Il semblait absorbé par ce qu'il faisait.

— Ton téléphone était occupé hier à minuit. Tu m'avais dit que t'allais dormir, t'as pas dormi, en fait t'as appelé Vincent.

— Ah non. Pitié. Ça va pas recommencer. Je suis pas rentrée pour ça ! C'est pour ça que t'étais impatient de me retrouver ? Non, j'ai pas appelé Vincent à minuit. Non.

— Tu mens.

— J'étais pas au téléphone à minuit. À minuit je dormais.

— Arrête de mentir, je le sais. Tu m'as dit que t'allais dormir, en fait tu l'as appelé.

— Tu te trompes, Alex. Tu veux que je te fasse voir mes appels ?

— Je t'ai appelée moi à minuit. Ça sonnait occupé.

— Quand je suis en ligne, mon téléphone il sonne pas occupé, il sonne dans le vide.

— Je savais pas qu'un jour tu me mentirais.

C'était bientôt le printemps. Les arbres étaient verts. Il faisait doux. La fenêtre était ouverte sur le jardin. J'aurais voulu pouvoir me réveiller seule le lendemain matin, m'installer sur le balcon, téléphoner à qui je voulais. Être seule plusieurs jours d'affilée.

— T'étais avec Vincent. C'est tout. Me prends pas pour un couillon. A cette heure-là t'étais avec qui ? T'étais avec lui !

— Et alors ? J'ai pas le droit de téléphoner à Vincent ? J'ai des choses à lui dire figure-toi. J'ai besoin de comprendre ce qui s'est passé entre lui et moi. On a des choses dont on doit parler. J'ai eu une relation importante avec lui. Cela dit, à minuit, tu te trompes. Mon téléphone était pas occupé. Je

75

dormais. On s'est parlé, mais avant. Avant minuit. Si tu veux je te montre les numéros.

Le lendemain, il est allé voir son fils. Pendant son absence, j'ai appelé Vincent.

— Toi tu penses vraiment que c'est possible qu'on se retrouve...

— Bien sûr. Il y a dix ans qui sont passés. J'ai plus les mêmes obligations. J'avais plein de trucs qui pesaient avant.

— Tes enfants ont grandi c'est ça ?

— Par exemple.

Il y a eu un bruit de clé, on a raccroché. J'ai pensé : « Il faut que je parte. Il faut que je déménage. Comment je vais faire, les caisses de livres, les caisses de vêtements, la vaisselle. La surface. Dans quel quartier je vais aller. Combien de temps il va me falloir pour trouver quelque chose. Il faudrait que je puisse partir très vite. »

J'étais sur le canapé, j'avais un livre dans les mains. Alex est arrivé.

— Je te dérange ?

— Non tu me déranges pas, je lis. Ça s'est bien passé avec ton fils ?

— Oui.

— Qu'est-ce qu'il t'a raconté ?

— Comme d'habitude.

— Tu me racontes jamais rien.

— Y a rien à raconter. Le foot, l'école.

— Ça va ? Il va bien ?

76

— Ça va.

— Pourquoi on n'arrive pas à parler Alex ? Tu vas voir ton fils, je te demande de me raconter, t'as rien à me dire. C'est toujours comme ça. On peut parler de rien.

— T'as qu'à aller retrouver quelqu'un avec qui tu peux parler.

Il est ressorti. J'ai passé la soirée seule.

J'ai entendu la clé. J'ai couru jusqu'à ma chambre. Et dans mon lit, lumière éteinte, respiration bloquée, j'ai pensé : « J'ai raté ma vie amoureuse par manque de courage. Tous ceux qui m'ont vraiment plu, je les ai fuis. J'ai essayé de compenser par l'écriture. J'ai mis toute ma libido là-dedans. Je peux plus supporter cette vie. Combien de temps ça va encore durer. » J'ai fait toute ma scolarité dans des écoles de filles, j'ai pensé à ces années-là, j'avais un sentiment d'infériorité par rapport aux garçons, la conviction que c'était en raison de leur absence que je dominais la classe. J'ai pensé : « Comment je peux avoir une vie de couple correcte avec des idées comme celle-là dans la tête ? » Je me tournais dans les draps. J'essayais de ne pas faire de bruit, pour qu'Alex me croie endormie. J'ai revu une scène qui a eu lieu dans la grande salle d'étude quand j'étais en troisième. Un médecin nous parlait de la contraception. Il était face à nous sur une estrade. Les profs étaient sur le côté.

— Vous savez à quoi ça me fait penser, moi, la pilule ?

Il nous regardait.

— Eh bien, ça me fait penser à ces chamelles… qu'on emmène dans le désert plusieurs mois, et à qui on met un galet au fond du vagin… Pour ne pas avoir de problème pendant le voyage. Voilà… Voilà, moi, à quoi ça me fait penser… la pilule.

Il souriait. Personne ne réagissait. Je me suis levée, j'ai descendu l'allée centrale, mes talons tapaient sur le parquet, je suis sortie en claquant la porte. Plus tard, quand je me suis inscrite en fac, à l'idée que j'allais être en cours avec des garçons, j'étais sûre d'échouer. Il y en avait un qui me plaisait. Le jour où il a essayé de m'embrasser, je l'ai repoussé en lui disant qu'il avait trop bu. Je pleurais sur l'oreiller. J'imaginais la vie que j'aurais pu avoir si j'avais réagi autrement. J'ai pensé : « Tu as choisi la facilité, maintenant tant pis pour toi. Heureusement que tu écris ma pauvre fille. Y aurait vraiment rien sinon. Chaque fois que t'as aimé quelqu'un, t'es partie avec un autre. » Il y a eu un bruit de porte. J'ai pensé : « Toute une vie à être séparée des hommes, c'est à se taper la tête contre les murs. J'attends quoi ? De mourir ? Je n'ai même pas profité des quelques dizaines d'années où je pouvais plaire. » Le silence est revenu dans l'appartement. Alex avait dû se coucher dans sa pièce pour ne pas me réveiller. Ou dans le salon. J'ai pris mon téléphone au pied de mon lit. J'ai tapoté : « Je t'aime Vincent. » Je l'ai reposé. Je l'ai repris : « Si tu me dis ce que tu veux, comment tu aimerais le vivre, il n'y aura aucun problème. Aucun contrôle extérieur ne pourra nous séparer. Je t'embrasse. Love. »

Un texto est arrivé dans la nuit. Je l'ai lu le matin : « La femme de ma vie n'est pas là. Si elle était là, rien au monde ne pourrait la concurrencer. J'ai toujours laissé ta place libre dans mon cœur. » J'ai répondu : « On s'aime. On ne peut pas faire autrement. Je suis heureuse… Hier j'en pleurais de fatigue et d'émotion. »

Je suis allée m'asseoir à mon bureau. Les bras croisés. Je regardais dehors. Les plantes, le ciel. La bruyère avait fait de minuscules fleurs. J'ai ouvert mon ordinateur. J'ai tapé sur Google le nom du garçon que j'avais connu à la fac, il n'avait pas changé de région. Il s'était présenté aux élections de sa ville. Il faisait partie du conseil municipal. Il y avait une adresse. Alex dormait sur le canapé enroulé dans une couverture froissée. Il s'est réveillé. Il est allé sur le balcon sans un mot. Il s'est accoudé à la balustrade. Il fumait. Il regardait devant lui. La pluie tombait. Les échafaudages sur le mur d'en face. J'ai pensé : « Va le rejoindre. Dis-lui que tu l'aimes. » Sa silhouette se détachait sur le ciel gris. « Regarde comme il est beau, il mérite ton amour. Il est adorable. Il est tellement mignon. Il est tellement gentil. C'est pas de sa faute s'il est jaloux. Ça doit être dur pour lui. »

Je l'ai rejoint. Je me suis accoudée à la balustrade.

— Ça va ?

J'ai mis mon bras autour de ses épaules.

— J'ai un peu mal à la tête.

— T'es sûr que tu fumes pas trop Alex ?

Mon téléphone a sonné dans ma poche.

— Ton téléphone.

— J'entends.

— Tu préfères être seule pour répondre ?

Le soir, on s'est couchés dans notre chambre. L'un contre l'autre. On s'est endormis. Un bruit m'a réveillée, j'ai sursauté.

— Qu'est-ce qui se passe ?

Il était assis sur le lit, en sanglots, les joues trempées.

— Qu'est-ce qu'il y a ? Alex. Qu'est-ce qui se passe ? Qu'est-ce qui se passe mon amour ? Calme-toi. Je t'en prie… Mon amour… Qu'est-ce qui se passe ?

Il a dit quelque chose que je n'ai pas compris. Il n'arrivait pas à respirer. Il haletait.

— Calme-toi Minou… Alexinou. Qu'est-ce qu'il y a ? Ça va aller.

J'ai posé ma main sur son ventre.

— Je t'assure que ça va aller.

— Est-ce que tu crois qu'on va se quitter ?

— Mais non ! Je suis là. Je suis là Alex. Avec toi. Je suis à côté de toi.

Son visage était inondé.

— Calme-toi mon amour. Respire. Respire doucement.

J'ai caressé ses cheveux.

— Regarde Alex. On est là, tous les deux. Tu vois… Hein ? On est là.

Je ne l'avais jamais vu comme ça. Il était en sueur. Les yeux creusés. Le regard perdu.

La nuit suivante, j'ai senti qu'on me tirait par le bras.

— Pardon de te réveiller, j'ai une question à te poser.

— Quoi ?

— Est-ce que tu crois qu'on va se quitter ?

— Encore. Ah non ! Alex, je t'en prie, j'ai besoin de dormir.

— Excuse-moi de te réveiller. Je peux pas faire autrement.

Il était nu. En sueur. Livide.

— Alex… S'il te plaît. Arrête. Là, ça tangue un peu, mais ça va aller. C'est rien. C'est un passage.

— Réponds-moi.

J'ai touché son ventre. Mes doigts glissaient sur sa peau trempée.

— Pourquoi tu me réponds pas ? Moi je veux pas m'imposer. Il faut que je sache. Est-ce que tu peux me le dire ?

— Mais non Alex. Qu'est-ce que tu racontes ?

— T'es sûre ?

— Oui. Tout va bien. Tu vois, je dormais là.

— Moi je veux pas m'incruster.

— Arrête Alex. Dors. Je suis avec toi. Tu vois, là on est tous les deux. Dans notre lit. Dans notre chambre. Chez nous.

Un tee-shirt traînait par terre. Je l'ai pris. J'ai tamponné sa peau. Les draps étaient mouillés. Je suis allée chercher une serviette. Il s'est allongé dessus. On a fait l'amour.

— Allez. Rendors-toi maintenant. Il faut qu'on dorme mon chaton.

Il était trois heures.

— J'ai beaucoup de choses à faire demain, il faut que je dorme moi. Je suis fatiguée. Je peux pas vivre comme ça. Laisse-moi me reposer un peu. S'il te plaît. Tu veux bien ? Allez, dors mon bébé.

— Tu vas retourner vivre avec Vincent ?

— Arrête. Je t'en prie.

— Réponds.

— Mais non voyons. Dors. Allez, viens dans mes bras. Ça suffit là.

Il s'est blotti contre moi.

— Je vais partir. Parce que je préfère vivre une vraie souffrance que vivre un faux bonheur.

— Tu peux arrêter de dire des bêtises ?

— Je vais me montrer responsable. Je vais rentrer chez moi. J'aurais jamais dû le quitter ce pays.

— Chez toi c'est ici. Arrête. Tu partiras pas de toute façon, tu le sais. Ça sert à rien de le dire. Arrête s'il te plaît. Je suis fatiguée. Tu dis n'importe quoi là. Ce que tu dis, tu le feras pas. Ça sert qu'à une chose, c'est à nous empêcher de dormir. Est-ce qu'on peut dormir ?

— T'étais avec Vincent quand je t'ai rencontrée, c'est à moi de m'effacer. Je vais prendre mes responsabilités. C'est difficile, parce que j'ai une position où je suis coincé entre la loyauté à mon ami, et l'amour de ma femme... Tu me diras... ça fait moderne...

— Chut... Alex ! Tu veux pas qu'on dorme ?

— Ça va me prendre un petit peu de temps... mais je vais partir. Je vais rentrer en Martinique.

— On peut en parler demain ? Tu veux bien ?

Il s'est tu. Il s'est rendormi.

Vincent m'avait laissé un message. Je suis sortie de la chambre. J'ai rappelé.

— Han... Ouhhh. J'en peux plus. C'est affreux en ce moment. Alex m'épuise.

— Qu'est-ce qu'il a ?

— Ben il est jaloux ! Qu'est-ce que tu veux que je te dise !?

— C'est normal.

— Oui mais c'est pénible.

— Il faudrait qu'il ait du travail... Il faut que je m'en occupe.

— Quel est le rapport ?

— Comment tu veux qu'il fasse ? Il va pas aller dormir dans le métro.

— OK, pour toi c'est la seule raison de son état, c'est une question de logement.

— Il peut pas partir, il a pas d'argent. Il peut rien faire. Il va aller où ?

— Il dit qu'il va aller en Martinique.

— Ah ! Tu penses qu'il a envie de ça ?

— Non.

— Bon. Alors. Comment tu veux qu'il fasse ? On ne peut pas le virer de chez toi. Ça se fait pas.

— Pour toi, c'est pour ça qu'il me fait tout ce cinéma ? Il est avec moi par intérêt...

— J'ai pas dit ça.

— Qu'est-ce que t'as dit ?

— J'ai dit : c'est compliqué de savoir exactement pourquoi il est comme ça.

— Je crois qu'il m'aime beaucoup, tu sais. Il serait pas content s'il t'entendait dire ça.

— Je te dis franchement... s'il était pas là, je serais déjà chez toi.

Ma fille ne vivait plus avec nous. Elle allait étudier à l'étranger. Elle avait trouvé une chambre, et s'était installée au début de l'été. Alex était en tournée. J'étais seule dans l'appartement. Les arbres étaient verts. Le balcon était fleuri. Le matin j'ouvrais les fenêtres. Je respirais. Je m'installais à la table en bois. Je prenais mon petit-déjeuner. Je me sentais libre. Je travaillais. J'étais bien. Le soir ou en fin d'après-midi je sortais. Dans les rues je marchais le cœur léger. Réjane et Claire étaient à Paris. Je voyais l'une ou l'autre. Sur le chemin du retour, rien qu'à l'idée qu'il n'y aurait personne à la maison, j'éprouvais une sensation de liberté. L'air était doux. En regardant le ciel je souriais. La vie est belle, je me disais.

Les fenêtres du café étaient ouvertes sur la rue. Il faisait très chaud. Réjane portait une robe large. Elle avait relevé ses cheveux et mis du rouge à lèvres. On a parlé du livre qu'elle s'apprêtait à sortir, puis elle m'a demandé si j'avais des nouvelles d'Alex.

— Il m'appelle tous les jours. Mais moi c'est à Vincent que j'ai envie de parler.

— Alex te manque pas ?

— Non. Je vais même te dire que si je pouvais être seule pendant encore six mois. Ou s'il pouvait partir en Martinique… ça me dérangerait pas. Il arrête pas de dire qu'il va partir, il le fera jamais. J'en ai marre. J'étouffe. J'ai besoin d'air.

— Ça fait longtemps que tu ressens ça.

— Tu as déjà vécu deux histoires en même temps ?

— Je suis une méchante fille, moi !

Son visage s'était transformé. Elle avait un air gai et coupable.

— T'avais envie de quitter la personne avec qui tu vivais ?

— Une fois, oui.

— Tu l'as pas fait ?

— Non. C'était sérieux pourtant. Les autres fois ça m'aidait à rester au contraire. J'en suis pas fière d'ailleurs…

— Ça t'angoissait pas de mentir ?

— J'aime beaucoup le secret, ça fait partie de ce qui me plaît dans une relation. Être avec quelqu'un, et avoir un secret avec cette personne.

— T'as de la chance de pouvoir mentir. Moi j'ai jamais pu. J'ai raté ma vie amoureuse à cause de ça je pense. Par lâcheté.

— Tu peux pas dire ça !!

— C'est la vérité.

— Tu penses que, si t'avais le courage, tu quitterais Alex pour être avec Vincent ?

— Hum… je sais pas. Ça je sais pas. J'ai déjà vécu avec Vincent, et c'était très difficile. Sauf si je sentais qu'il avait vraiment changé. Ou moi. Et qu'il y avait quelque chose de possible. Oui. Ah oui. Alors là oui. Mille fois oui.

— Tu penses vraiment que c'est une question de courage ?

— Je sais pas. De toute façon je veux perdre ni l'un ni l'autre. C'est tout ce que je sais. C'est la seule réflexion que j'arrive à avoir. Pour l'instant. Donc j'en suis pas à me poser la question du courage. Non, le problème que j'ai avec Alex, c'est que j'arrive pas à parler avec lui. On se comprend. À condition de se taire. On se comprend en silence. Ça suffit pas. Parfois j'aimerais bien pouvoir parler avec quelqu'un. Il y a des choses à dire parfois. Si je pouvais parler avec lui, ça irait. Avec Vincent, je peux. On parle. J'adore parler avec lui. Et donc, je suis plus heureuse avec Vincent qu'avec Alex. J'ai plus de… de plaisir. À vivre. Mais j'ai pas confiance.

— En Vincent ?

— Oui. Alors qu'Alex, j'ai confiance.

— Quand je t'ai rencontrée, j'avais l'impression que t'étais heureuse avec Alex. C'étaient peut-être des apparences.

— C'étaient pas des apparences. On l'était. Là, on l'est plus. Je peux pas être bien avec quelqu'un avec qui je peux pas parler. En ce moment il faudrait pouvoir parler. Justement. Toi, t'arrives à parler avec Stéphane ?

— Oui, c'est même trop parfois. On part dans des labyrinthes.

Alex et Vincent sont rentrés à Paris. Alex était très fatigué. Il avait toujours été mince, il m'a semblé qu'il avait maigri. Il avait les joues creuses, les yeux vides.

— J'ai passé la nuit dans un bus… Je suis fatigué, c'est tout.

Il était sept heures du matin. Il a dormi toute la journée. Il s'est réveillé affamé. Il a fait cuire du riz. Il en a mangé une grande quantité.

— Tu manges pas en tournée ?

— Pas beaucoup. J'ai mal au cœur.

— À cause du bus ? Ou du manque du sommeil ? Moi, quand je dors pas, j'ai mal au cœur. Pourquoi tu dors pas dans le bus ? Qu'est-ce que tu fais toute la nuit ? Les autres, ils dorment. Vincent il dort… qu'est-ce que tu fais pendant ce temps-là ? Tu lis, tu réfléchis ? Tu rêves ? Tu regardes par la fenêtre ? C'est la nuit. Y a rien à voir.

— Je parle avec le chauffeur. C'est dur pour lui d'être seul. T'imagines s'il s'endort au volant ?

Le lendemain, Vincent m'a appelée. Il est venu me chercher en voiture. On s'est donné rendez-vous au coin de la rue. Alex dormait encore. On a marché. On a déjeuné. On s'est assis dans un square. On a passé toute la journée ensemble. Mon téléphone a sonné. Je n'ai pas répondu. J'ai appelé Alex en fin d'après-midi. Je lui ai dit que j'étais avec Vincent et que j'allais rentrer.

La semaine suivante, j'étais à Marseille. Un après-midi, dans ma chambre d'hôtel, je prenais un bain. La tête renversée en arrière, je me détendais. Mon téléphone était sur un tabouret à portée de main. Il y a eu un signal sonore. C'était un mail d'Alex. En neuf ans de vie commune, c'était la deuxième ou la troisième fois qu'il m'écrivait. Les bras posés sur les bords de la baignoire, j'ai commencé à lire :

« Le jour où tu m'as dit que t'aimais Vincent, ç'a été affreux sur le moment. Ça m'a fait mal physiquement. Mon cœur cognait mes côtes. C'était comme si mes côtes étaient défoncées, tellement mon cœur battait dedans. Maintenant c'est passé, et j'ai réfléchi. En fait tu m'as délivré. Et j'ai quelque chose à te dire. Si tu m'acceptes, j'aimerais rester avec toi pour toujours. Mais je veux te dire aussi que, si Vincent il t'aime, vivez. Je vais pas être celui qui va te brûler sur un bûcher. Je te laisserai vivre. Je rentrerai en Martinique. T'étais avec lui avant de me rencontrer, c'est normal que je m'efface si vous voulez vous retrouver. Je sais que je peux être heureux sans être avec la personne que j'aime. Si t'es heureuse, je serai heureux... »

J'ai glissé dans la baignoire, mon téléphone est tombé dans l'eau. Je n'ai pas pu lire la suite. Je n'avais plus aucun numéro. Je suis allée acheter un nouvel appareil. Pendant que je remontais vers l'hôtel, Vincent m'a appelée.

— Han !... Mon amour. Merci.

— Qu'est-ce que t'as ?

— Vincent.

— Qu'est-ce qu'il y a ?

— Merci de m'appeler maintenant. Mon amour !! J'ai cru que je t'avais perdu. Mon téléphone est tombé dans l'eau. Mon petit Vincent... J'avais plus ton numéro. J'ai eu peur.

— Mais non. Devine où je suis ?

— Je sais pas.

— Devine.

— Dans ta voiture ?

— Non.

— Dans la rue ?

— Mieux, mais c'est pas ça.

— Dans un square ?

— Presque.

— J'ai l'impression que t'es dehors...

— Oui.

— T'es pas dans la rue... t'es pas dans un square...

— Je suis sur ton balcon.

— Comment ça ?

— J'avais pas envie de rentrer tout à l'heure. Alex m'a dit que je pouvais venir, je vais dormir chez toi. Alors, tu vois. Tu vois que je suis avec toi.

— Tu vas dormir où ?

— Dans une petite chambre, où il y a une gui-
tare. Ça me fait penser à ton appartement d'avant. La
pièce où il y avait un matelas au sol tu t'en souviens ?

— On était heureux hein ?

— J'aime pas quand tu parles au passé.

— On était heureux. C'est tout ce que je dis.

— C'est pas fini. Regarde où je suis.

— J'adore savoir ça… Comment tu trouves
l'appartement ?

— Il ressemble à celui d'avant. Il y a beaucoup
de livres.

— Je suis heureuse que tu m'appelles. Tu peux
pas savoir…

Sa voix a baissé, il a chuchoté :

— Je t'écris…

— Il est là ?

Deux minutes plus tard j'ai reçu un texto. « Je suis
chez toi. Et je me languis de la lumière qui a éclairé
le chemin qui t'a menée à moi. J'ai envie de faire
l'erreur de recoucher avec toi. Je ne vais pas le faire.
Parce que je t'aime. J'en ai envie. Mais le lien que
j'ai avec toi aujourd'hui est plus important que le
plaisir qu'on prendrait dans un lit. Jamais je vais fra-
giliser ce lien, ni le remettre en question pour un
plaisir momentané. Je préfère ce rapport d'intimité,
de confiance. Je t'aime. Je vais pas abîmer ça. »

L'hôtel se trouvait sur une petite place de Marseille.
Le lendemain, j'étais au téléphone, avec ma mère,

je marchais sur la place. Il y a eu un signal sonore.
J'ai pris l'appel. C'était Alex.

— Avec qui tu parlais ?

— Avec ma mère.

— Tu veux que je te rejoigne ?

— Tu travailles pas cette semaine ?

— J'ai quatre jours de libre. Je te rejoins ou pas ?

— Si tu veux Alex. Mais en plein été, je pense
pas qu'il y aura de la place dans les trains. Comme
ça au dernier moment.

— J'en ai trouvé une au train de sept heures
demain. Je l'ai réservée. J'attends que tu me dises
pour la payer. Si tu veux, je peux être là demain à
onze heures.

— Comme tu veux.

— Toi, tu veux ?

— Si tu veux.

— Je viens reprendre ma femme alors. Pour toujours si elle accepte.

— Heu… rejoindre si tu veux bien. Plutôt que
reprendre. Je préfère. Je suis pas une chose. Je
t'appartiens pas. Je préférerais « rejoindre » si tu
permets.

— OK, je viens rejoindre ma femme…

Je me suis promenée dans la ville tôt le matin. Les
rues vides. Les voitures municipales qui arrosaient la
chaussée. Je suis rentrée à l'hôtel. Alex était arrivé.
Ses vêtements étaient dans le placard. On est sortis.
On a fait les magasins. J'ai acheté une veste beige, il

trouvait qu'elle m'allait bien, le tissu était léger. La nuit on a fait l'amour. Le lendemain matin, je marchais sur la place, avec mon téléphone à l'oreille. Je riais. Alex était dans la chambre. Il dormait. Soudain je l'ai vu. J'ai dit à Vincent que je le rappelais.

— T'as bien dormi ?

— Je rentre à Paris. Demain je pars en Martinique.

— Ça y est, c'est reparti.

J'ai pensé : « Qu'il parte et qu'on en finisse ! » Il est retourné à l'hôtel. J'ai rappelé Vincent sur un boulevard, entre les bruits de voiture.

— Il m'épuise. Il dit qu'il va prendre un avion pour la Martinique. Si seulement il pouvait le faire. Il dit qu'il va prendre ses responsabilités pour nous laisser vivre.

Il a éclaté de rire.

— Pourquoi tu ris ?

— Ses responsabilités, il peut pas les prendre.

— Pourquoi ?

— Il va aller où ? Il a pas d'argent. Ce qu'il a fait, ça se fait pas. Et ça il le sait très bien Alex. Évidemment qu'il doit partir. Il a pas de quoi se payer un billet.

— Je compte pas moi dans cette histoire, je suis un jouet entre vous en fait. Le truc, c'est vous deux. Moi je suis un prétexte. Attends... il m'appelle.

— Oui. Quoi ? Qu'est-ce que tu veux ?

— T'es où ?

— Dans la rue.

— Où ?

— Sur un boulevard, tu connais pas.

— Tu me rejoins, je suis dans la chambre.

— Ah non ça suffit. Je croyais que tu partais. Tu pars ou tu pars pas ? Qu'est-ce que tu fais ?

— Avant j'ai quelque chose à te dire.

Les rideaux étaient tirés. Le soleil passait sur les côtés. Il était dans le lit. Sous les draps.

— Tu pars ou pas ?

— Il y a des trains toute la journée. J'ai quelque chose à te dire avant.

Sa valise était debout dans l'entrée.

— Je t'écoute.

— Si tu acceptes, j'aimerais bien rester.

— Donc tu pars pas ?

— Qu'est-ce que tu veux toi ?

— Mais moi je m'en fous Alex. Ce que je veux, moi, c'est que tu saches. Quand tu dis que tu vas faire quelque chose, que tu le fasses. Voilà ce que je veux. Ou sinon que tu le dises pas. J'en ai marre de ces crises, de ces cris. D'être réveillée en pleine nuit, par tes cauchemars. J'ai envie de vivre. Tu comprends ? Vivre.

— T'as trouvé quelqu'un avec qui tu peux vivre…

— T'as pas à t'occuper de ça. Ça te regarde pas. Tu fais ce que tu veux, mais tu arrêtes de me surveiller. OK ? Bon, tu pars ou tu restes ? Dis-moi vite. Dépêche-toi parce que je vais pas rester là toute la journée dans le noir à te regarder. J'ai pas que ça à faire. J'ai un rendez-vous dans un quart d'heure. Je suis censée travailler moi ici.

— J'aimerais bien rester.

— Ben t'as plus qu'à remettre tes affaires dans le placard !

Le soir, on a dîné sur la place. La table était dressée sous un arbre. Au début l'atmosphère était froide. Il m'a tendu la main. Je lui ai donné la mienne comme un objet inerte.

— C'est trop compliqué Alex.

— Donne-moi ta main vraiment.

— J'en ai marre. Je suis fatiguée. J'aimerais bien être un petit peu heureuse. Si c'est possible. Si j'ai le droit. Profiter d'un restaurant sans me poser de questions. Sans que ce soit précédé d'une matinée d'horreur.

— Est-ce qu'on peut essayer demain de passer une bonne journée ?

— Bien sûr.

— Je suis content d'être là.

J'ai tracé des lignes entre ses doigts, avec mon index, puis j'ai pris sa main. Je l'ai serrée dans la mienne.

La nuit, on s'est parlé dans le noir. On a fait l'amour. Je me suis endormie la tête dans le creux de son épaule. Le lendemain, on s'est promenés dans la ville. On est passés devant une bijouterie, il a voulu qu'on entre.

— Ça sert à rien Alex. C'est pas la peine.

En allant à la gare, j'ai dit :
— On a été heureux, hein, Alex, dans ce petit hôtel ?

Il s'est assis côté fenêtre. Il regardait le paysage. J'étais côté couloir. Je lisais. Tout allait bien. Mon téléphone a sonné. C'était Vincent. Je suis sortie du compartiment. On s'est dit qu'on s'aimait. Qu'on allait trouver une solution pour se voir autant qu'on voudrait. Je suis retournée m'asseoir. Alex avait les yeux fermés, la tête appuyée au dossier, il n'a plus rien dit jusqu'à notre arrivée.

L'air était lourd à Paris. L'atmosphère collante. On a ouvert les fenêtres. J'ai défait les valises. Alex arrosait les plantes. La vie reprenait. On a dîné sur le balcon face à face de chaque côté de la table. Puis on s'est accrochés à propos de la durée du coup de fil que j'avais reçu dans le train.

Le lendemain, il est sorti tôt. En fin de matinée il m'a appelée :

— T'es à la maison ?

— Oui, t'es où toi ?

— Dans le quartier. Je suis avec Vincent. Ça te dérange si il monte ?

— Vous êtes où ?

— On est en bas. On a fait des courses.

J'essayais de ne pas sourire pour dissimuler ma joie. Ils se sont installés sur le balcon. J'entendais les voix. Je ne distinguais pas les mots. Vincent est apparu :

— Je peux prendre une casserole ?

Je lui ai dit où elles étaient. Il en a pris une, il a versé de l'eau dedans.

— Qu'est-ce que tu fais ?

— Des pâtes.

Il m'a demandé un couteau. Je me suis levée. Je lui ai expliqué où se trouvaient les choses. J'ai pensé : « Si on était seuls, ce moment serait un moment de rêve. » Il avait acheté une boîte de maïs, il faisait une salade. Il coupait des tomates. Alex est apparu dans l'encadrement de la fenêtre :

— Tu veux que j'aille prendre un melon ?

— Je veux bien Alex. Merci.

Accroupie devant le placard, je me demandais quelles assiettes j'allais mettre sur la table. Les jambes d'Alex ont traversé la cuisine :

— Tu viens avec moi Vincent ?

— Je suis fatigué.

J'ai dit :

— Tu veux que je vienne avec toi Alex ?

— C'est bon.

Vincent a lancé :

— T'as de l'argent, tu veux que je te donne des sous ?

En sortant un billet.

— Non c'est bon.

Il a remis le billet dans sa poche. Mon sac était sur un tabouret dans le couloir. Alex a pris mon porte-monnaie à l'intérieur.

Vincent a dit :

— Attends, je viens avec toi.

Ils sont rentrés. Alex est allé aux toilettes. Vincent était sur le balcon dans un fauteuil en rotin. Je me suis approchée de son visage. J'ai senti une présence. Alex était derrière moi. On s'est installés autour de la table. J'avais choisi des assiettes qui représentaient des nuages blancs sur un ciel bleu. Vincent nous a montré des vidéos de Louis de Funès. C'était à celui, d'Alex ou de moi, qui riait le plus. J'ai pensé : « On est ridicules. » Je suis retournée dans le salon.

Ils ont dit qu'ils allaient ressortir. Ils avaient des choses à faire. Des gens à voir. Vincent était déjà dans le couloir.

Alex s'est assis devant mon ordinateur, il m'aidait à télécharger un film.

— Quel film tu veux ?

— *Jules et Jim.* Le film de Truffaut.

Il a reculé, sa chaise est tombée.

— Pourquoi tu veux voir ça ?

— Je veux voir ça Alex, c'est tout. C'est quoi le problème ?

— C'est pas un film où il y a une femme qui est avec deux hommes !?

— Tu vas contrôler les films que je regarde maintenant ? Tu vas me censurer ? Tu vas où là ? Tu vas pas un peu loin ?

Le ton montait. Vincent est arrivé.

— Qu'est-ce que vous avez encore à vous disputer ?

— Alex est pas d'accord pour que je regarde *Jules et Jim* !!! C'est la folie là ! Il va contrôler ce que je lis aussi ?

— Laisse-la Alex. C'est bien Truffaut. Mais tu ferais mieux de regarder le film avec Gabin, à mon avis, *Le Chat*. Tu l'as vu ? C'est des gens qui se disputent tout le temps.

— J'en peux plus moi Vincent de ce type ! C'est un censeur. J'ai le droit de voir ce que je veux. C'est la folie là. Dis-lui que c'est débile.

— C'est un film de Truffaut, Alex. Allez, arrête.

— Voilà. Dis-lui. Puisqu'il y a que toi qu'il écoute. T'es son maître ou quoi ?

— T'énerve pas. Allez. Mets-lui son film.

— Il va faire ce que tu dis. Il y a que toi qu'il écoute. Le maître et l'esclave là.

— On va se promener. Viens avec nous.

— Certainement pas.

J'ai regardé le film en pleurant. Ils sont rentrés. Ils sont allés sur le balcon. J'avais encore les larmes aux yeux. J'étais bouleversée. Allongée sur le canapé je les voyais à travers la vitre.

Alex s'est levé :

— Qu'est-ce qui se passe ?

— Il se passe rien.

J'ai pensé : « Pourquoi c'est pas Vincent qui vient ? »

— Qu'est-ce qu'il y a ?

— Il y a rien.

— Tu pleures.

— Oui je pleure. Et alors !? Je pleure parce que vous êtes les deux mecs là. Fiers de vous. Moi j'existe pas. Je suis rien moi. Vous passez des heures sur ce balcon. Tous les deux. Vous parlez. Vous vous marrez. Je comprends rien à ce que vous dites. Je suis exclue. C'est comme si j'étais ravalée à une condition inférieure. Féminine. Comme si j'étais qu'une bonne femme. Vous faites vos trucs, on dirait que je suis pas comme vous. Une bonne femme, toute seule, voilà ce que je suis, à lire ses conneries sur son canapé. À regarder ses films d'amour débiles. C'est ça le message que vous voulez me faire passer !? J'ai pas le droit de participer aux conversations ? J'ai pas le droit de rire moi ? J'en ai marre moi, de vous. Il est temps que je rencontre un autre type de mecs. J'en ai marre de vous.

Vincent est apparu dans l'encadrement de la fenêtre.

— Regarde-toi, Alex, t'es comme une espèce d'esclave de Vincent. Et toi, c'est pratique hein pour toi d'avoir Alex qui te suit partout. T'as trouvé un bon petit esclave là. T'as pas honte, toi, de le suivre partout comme un petit chien ?

Vincent a dit :

— Qu'est-ce que t'as ?

— J'en peux plus. Voilà ce que j'ai. Vous êtes ridicules tous les deux, les deux compères là, le maître et l'esclave.

— On discutait. C'est tout. Y a pas de problème.

— Bien sûr qu'il y a pas de problème. Il y a jamais de problème avec toi Vincent. Tu te contentes de venir et de ne pas venir.

Il s'est assis sur un bras du canapé. Il a mis la main sur mon pied nu. Alex ne le voyait pas. Il était dans un fauteuil, la tête entre les mains. Le doigt de Vincent faisait des allers-retours sur ma cheville :

— Viens, on va se promener tous les trois.

— Mais j'ai pas envie de me balader avec vous. Ça m'intéresse pas « vous ». Moi j'ai envie d'avoir un rapport distinct avec l'un, et avec l'autre. J'ai un rapport avec Alex. Et j'ai un rapport avec toi. Et c'est pas la même chose. J'ai pas envie d'être avec vous deux. J'ai pas envie qu'on soit tous les trois. Je vais sortir seule. J'en ai marre de vous deux. Je peux pas parler avec toi. Il faut toujours qu'Alex soit là, j'en ai marre. Tu me surveilles Alex, et maintenant tu me censures. Tu contrôles les films que je regarde. On va où là ? Je t'appartiens pas mon vieux. Si tu veux être l'esclave de Vincent c'est ton problème. Moi je regarde les films que je veux. Ça ne te concerne pas. Je pense ce que je veux. Je suis libre. Et là je m'en vais. Je vous ai assez vus. Je me barre.

J'ai donné rendez-vous à Réjane. Je passais devant la porte de la cuisine. Vincent était debout, une tartine à la main. Il m'a fait signe d'approcher, j'ai fait non de la tête.

— Juste une seconde.

— Non Vincent, je sors là.

Il y avait des petits pots de miel, de confiture et de Nutella sur la table.

— Viens. Je veux te montrer quelque chose.

— Je sors.

— Une seconde.

— On m'attend.

— Une seconde, je te jure, pas plus.

— Non.

Il m'a fait signe avec le doigt. J'ai fait un pas en avant.

— Plus près. T'es trop loin.

J'ai avancé. Il a pris un des petits pots, il a posé le doigt sur le couvercle, et il l'a tapoté. Il y avait écrit « Lune de miel ».

Réjane m'attendait à notre table. En allant vers elle, je riais :

— J'ai passé une mauvaise journée, mais là, tout va bien. Tout va bien.

Deux jours plus tard, Vincent m'a téléphoné. Il avait quelque chose à me dire. Il avait eu l'idée d'un scénario, il voulait qu'on l'écrive ensemble.

— Moi je peux pas écrire un scénario au téléphone ou entre deux portes. Je te le dis tout de suite. Il faut du temps pour écrire un scénario.

— Il tient qu'à nous.

— Comment ça « il tient qu'à nous » ? Alex est toujours sur notre dos, comment tu veux qu'on fasse ? On n'est jamais tous les deux.

— Je vais trouver une solution.

Il faisait très chaud. Les fenêtres étaient grandes ouvertes. Des bruits de conversations montaient des autres étages. On avait dîné sur le balcon. On était rentrés dans le salon. De tout le dîner on s'était à peine parlé. Alex était sur le canapé. J'étais devant mon bureau. Le silence pesait depuis le début de la soirée. J'ai tourné la tête :

— À quoi tu penses ?

— À rien de spécial.

— T'as l'air triste...

— Je suis pas triste.

— Tu penses peut-être à ton fils.

— Là, tout de suite, non. C'est pas à lui que je pensais.

— Ça fait des mois que tu l'as pas vu ailleurs que dans un point-rencontre. C'est difficile, je suppose.

— S'il était mort, ce serait difficile. Il est pas mort. J'ai aucune raison d'être mal.

— Pourquoi tu me parles sur ce ton, on dirait que je t'agresse ?

— Je te parle sur aucun ton.

— Si, tu me parles sur un ton. Et c'est désagréable. On peut jamais parler de rien de toute façon.

— Tu peux parler si tu veux. Moi je te dis que c'est pas à ça que je pensais.

— Tu pensais à quoi ?

— Peut-être que je pensais à toi. Je peux te poser une question ?

— Oui.

— Est-ce que tu crois qu'on va se quitter ?

— Encore ? Encore cette question ? Tu vas pas recommencer.

C'était un soir d'été. Les conversations se prolongeaient sur les terrasses.

— Peut-être que tu veux retourner vivre avec Vincent. Si tu veux retourner avec lui, je comprendrai. Dis-le-moi. Je rentrerai en Martinique.

— Écoute. Tu rentres en Martinique si tu veux, mais tu me prends pas comme prétexte.

Mon bureau était une table en verre. Il a mis les mains de chaque côté, il l'a soulevée, et lâchée. Les pieds sont retombés sur le plancher. Des pieds en acier. Ils ont percuté le sol. Le plateau en verre a tremblé.

Il a crié :

— Je vais démonter cette maison !!!!

J'ai dit froidement :

— Tu arrêtes ça tout de suite.

Il était hors de lui. Il hurlait.

— J'en ai rien à foutre !!!!

Le bruit des conversations extérieures avait baissé. Je me suis levée. J'étais debout devant mon bureau.

— Tu es injuste Alex.

Il a hurlé près de mon visage :

— T'avais l'ange maintenant t'as le diable !! J'en ai rien à foutre !! Rien à foutre ! Tu fais ce que tu veux. Moi j'en ai rien à foutre. Je vais pas mourir !!

Il s'est encore approché :

— J'en ai rien à foutre !

Je suis allée dans ma chambre.

J'ai tapoté sur mon portable : « Claire, tu peux venir me chercher tout de suite stp ? » Mon corps tremblait. Mes doigts tremblaient. Elle a répondu : « Bien sûr. On s'appelle ? » J'ai tapoté : « Cinq minutes. » Il y a eu un bruit de pas dans le couloir. La voix d'Alex :

— Je sors de cette maison !

La porte a claqué.

J'ai appelé Claire :

— Tu peux venir rapidement s'il te plaît ?

Je parlais vite. J'articulais à peine.

— Vite Claire s'il te plaît, t'es où ?

— Le taxi arrive.

— Tu es encore chez toi ou tu es dans la rue ?

Ma voix chevrotait.

— T'es où, dis-moi où t'es…

— Je descends les escaliers.

— Le taxi est en bas de chez toi ?

— Il arrive.

— Il est où ?

— Il arrive.

— Fais très vite Claire. Très très vite. Très très très vite s'il te plaît.

— Je serai en bas de chez toi dans dix minutes. Maximum.

J'ai pris une valise. Je l'ai posée dans le salon. Par terre. J'ai commencé à la remplir. J'étais à genoux. Penchée sur la valise. J'ai entendu un bruit. J'ai pensé : « Merde il revient ! Il a dû faire le tour du pâté de maisons, se calmer, maintenant il rentre. Merde. À moins qu'il ait oublié quelque chose et qu'il reparte. »

Il est entré dans le salon. Il a allumé la télé. Il y avait un match, il a baissé le son, laissé l'image.

Je suis allée dans la salle de bain. J'ai pris ma trousse de toilette. Je suis revenue. J'ai débranché mon ordinateur. Je l'ai mis dans sa housse. J'ai fermé la valise. J'ai commencé à la faire rouler.

Il a crié :

— T'as plus besoin du petit Renoi. Alors tu le jettes !

Je passais devant la porte du salon. Je portais la veste beige qu'on avait achetée à Marseille.

— Ça sert à rien un petit Renoi. Tu le fous à la poubelle. Mais le petit Renoi il t'aime.

J'ai fait demi-tour.

— Ça n'a rien à voir avec des histoires de petit Renoi. Tu le sais très bien.

108

Il était devant la télé. Le visage tourné vers moi.

— Là, je vais dormir ailleurs. Je ne veux pas rester ici ce soir. Je ne peux pas. Je ne peux pas, et je ne veux pas. Si on souhaite se parler plus tard, on s'appellera. Là, je te dis au revoir.

Il s'est levé. Il a avancé.

— Tu veux savoir ce que je pense de toi ?

Tout proche, il a dit :

— Tu es une salope. Sale putain. Tu es une pute. Sale pute va.

Les seules femmes de la rue étaient deux prostituées qui s'adressaient l'une à l'autre à distance. Des groupes d'hommes parlaient entre eux. L'un urinait face à un mur. La rigole serpentait jusqu'à moi. Les réverbères projetaient une lumière blanche. Je me suis mise en retrait dans une rue adjacente. J'ai pris mon téléphone.

— Personne Vincent. Personne personne, personne. Personne m'a jamais parlé comme ça. Personne m'a jamais dit ces mots-là. Et il faut que ce soit lui ? Au bout de neuf ans !! Je veux plus jamais vivre ça. C'est horrible.

— Comment il a pu te dire ça ? Il est malade ! T'es où ?

— En bas, dans la petite rue. J'attends le taxi. Je suis juste à l'angle. S'il se met à la fenêtre, je veux pas qu'il me voie.

La rue était sombre, vide.

— Vincent ?

— Oui.

— Tu es là, tu m'entends ?

— Je suis avec toi.

— C'est horrible, hein ? T'es d'accord ?

— Il est fou. Je comprends pas comment il a pu te parler comme ça.

— Tu veux bien rester au téléphone avec moi jusqu'à l'arrivée de Claire ?

— T'inquiète pas. Je suis là.

— T'es où ?

— Dans un café à Bastille. Je regarde le match. Là, je suis sorti dans la rue pour te parler.

— Il m'a traitée de pute. Tu te rends compte. Il a dit : « Salope. Sale putain. Tu es une pute. » Ces mots-là. C'est ces mots-là qu'il a dits. Lui. « Sale pute. » C'est pas possible ça Vincent. Comment il a pu dire ça ? Tu restes avec moi hein… Il y a que des mecs dans la rue. Il y a plein de mecs soûls. J'ai peur.

— Mais non.

— Si Vincent. J'ai peur.

— Ils sont pas méchants.

— Tu restes au téléphone avec moi, jusqu'à ce que Claire arrive ?

— T'inquiète pas je te dis.

— Je veux plus jamais retourner dans cet appartement !!

Ma voix tremblait.

— Ça va aller. Calme-toi.

— J'en ai marre Vincent.

— Il est jaloux, t'as pas vu comme il t'aime. Comme il a besoin de toi. C'est triste à ce point-là. Le pauvre.

— C'est pas triste, c'est pas de l'amour ça.

Un taxi descendait la rue.

— Ça doit être Claire.

Les phares se rapprochaient.

— Tu restes avec moi, le temps que je vérifie si c'est elle ?

— Je suis là. Je bouge pas.

— J'ai les jambes qui tremblent. Excuse-moi Vincent. Je peux pas être toute seule. Même une seconde.

— T'excuse pas.

— J'ai peur qu'Alex me voie. Tu restes hein… Tu veux bien rester au téléphone jusqu'à ce que je monte dans la voiture.

— Tu lui as dit que tu vas chez ta copine ?

— Non. Je veux pas qu'il sache où je vais. À mon avis il va t'appeler. Quoique il doit avoir tellement honte. S'il t'appelle, tu dis pas où je suis.

— Mais non.

— Il croit sûrement que je vais te rejoindre. Bon c'est elle. C'est bon Vincent. C'est elle. Je la vois. Tu restes avec moi encore une minute ?

Le taxi s'est arrêté. Le chauffeur a mis ma valise dans le coffre. Claire a ouvert la porte. Je me suis assise sur la banquette.

— Je te passe Claire.

Elle lui a dit de ne pas s'inquiéter. J'ai pris sa main. Je l'ai serrée. J'ai dit :

— Merci d'être là.

— C'est normal.

— Là je peux pas parler. Je te dirai tout quand on sera chez toi. Là je peux pas. C'est horrible ce qui s'est passé.

— Tout va bien. Tu vas te reposer. Là t'es en sécurité.

Les réverbères défilaient par la vitre. Les façades sombres, les néons, les trottoirs. La nuit. Tout était calme. Le son des voix dans la voiture. Le bruit du moteur. La main de Claire dans la mienne.

Elle travaillait à l'étranger. Elle avait un pied-à-terre à Paris. L'escalier était étroit. D'une main, je portais ma valise. De l'autre, je m'agrippais à la rampe. Elle habitait au dernier étage. En arrivant je me suis effondrée sur le canapé.

— Excuse-moi j'en peux plus.

— Repose-toi. T'es là pour ça.

Elle s'est assise, dos à la fenêtre.

Le salon donnait sur la rue.

— Je veux plus jamais le revoir.

— Tu voudrais vivre avec Vincent ?

— Je crois pas. Je pourrai pas. Je me sens vivre avec lui. Je vis. Je ris. Je suis bien quoi. Je suis heureuse. Dès qu'il est là, je me sens réveillée. Je me sens vivante. Mais je pourrais pas vivre avec lui. Je crois pas. C'est pas pour rien qu'on s'est quittés. Il est très égoïste Vincent tu sais. Alex, non. Pas du tout. Pas assez d'ailleurs. Parce qu'il m'entraîne pas. Il m'entraîne pas dans sa vie. Il en a pas la force, ou pas le désir. Ou peut-être qu'il a pas assez confiance en lui pour le faire. Ou c'est moi qui veux pas bouger. Je sais pas. J'arrive pas à me sentir entraînée en tout cas, par lui. Moi je l'entraîne dans ma vie je crois. Et il me suit. Comme il suit Vincent. Et Vincent, justement, il m'entraîne dans la sienne. Dans sa vie. J'ai l'impression de disparaître quand il est là. D'être dans une autre vie. Ça me fait du bien. J'aime ça. Alex, c'est quelqu'un qui t'aide, qui te soutient, qui est derrière toi, qui te rend service, qui te protège. Qui te sert même. C'est génial de l'avoir avec soi. Il peut aller loin pour toi. Mais y a des moments t'en as marre, ça suffit pas. Est-ce que j'ai besoin de quelqu'un qui m'aide, moi ? Non. Avant, oui. Mais plus maintenant. J'aimerais bien moi aussi parfois pouvoir suivre quelqu'un. Et puis surtout, c'est trop difficile de parler avec lui. Il est tellement sensible à tout.

— Ça, j'ai remarqué ! Qu'est-ce qu'il est susceptible dis donc ! Et puis c'est pas toujours facile de comprendre ce qu'il dit. Ou ce qu'il veut dire. Quand j'avais des histoires avec des hommes, moi, je me souviens… avant d'admettre que j'étais mieux avec des femmes, n'est-ce pas… Je me souviens de la difficulté que j'avais à communiquer avec eux. C'était dingue !

— C'est comme ça.

— Mais ce qui est particulier, toi, là, dans ce que tu vis, c'est qu'il y a une amitié entre ces deux mecs. T'es pas seulement entre deux hommes. T'es entre deux amis.

— Oui. Et même s'ils sont riches ni l'un ni l'autre, il y en a un qui a de quoi vivre, et l'autre qui a rien.

— C'est ça. Il y en a un qui est plus fort que l'autre.

— Lequel ? C'est pas évident. Alex, il a une capacité de résistance que j'ai jamais vue chez personne. Même s'il a pas d'argent.

Mon téléphone vibrait sous ma main. Un texto venait d'arriver.

— « Ça, c'est une base de travail. » Non mais il est gonflé. C'est tout ce qu'il a à dire ? « Ça c'est une base de travail » !? Je ne veux plus *jamais* entendre parler de ce type. Il me traite de pute, et c'est une base de travail !! ?

— Tu vas lui répondre ?

— Certainement pas.

La chambre donnait sur la cour. Sur le ciel, sur les toits. Un petit air frais entrait. Il y avait un seul lit. J'étais allongée dans la partie droite. Mon téléphone était sur la table de chevet. Je me suis endormie. Je me suis réveillée vers une heure. J'avais un texto :

« Pardon. Tu n'es pas une sale pute. Tu n'es pas une salope. Je suis un salopard de t'avoir traitée ainsi. Je n'avais pas ce droit. J'espère que je pourrai effacer ces paroles que j'ai osé te dire. Comment j'ai pu aller si loin ? Je me doute que mes mots ne peuvent te paraître encore agréables. Je n'ai qu'eux pour te demander de me pardonner. »

Je me suis rendormie. Je me suis réveillée. Il y en avait un nouveau :

« J'ai été indigne de la confiance que toi, et Vincent, avez placée en moi. Pardonnez-moi. Et pardonne-moi. »

Le ciel était vaporeux par-dessus les toits. Bleu-gris comme il l'est en ville. Il faisait doux. J'ai pensé : « Ça fait longtemps que je n'ai pas vu des ciels noirs comme à la campagne. » Je me suis rendormie. Réveillée. Il y en avait un autre :

« Je comprendrai ton sentiment envers moi, ce petit monsieur qui s'est permis de t'insulter. Pardon. À toi, et à toutes les personnes que j'ai insultées en osant te parler ainsi. Si tu me le permets, je pourrai te demander pardon de vive voix. »

Claire respirait doucement à côté de moi. L'air caressait mon bras. J'ai pensé : « La vie peut être tellement belle. Il ne faut plus que je la gâche. » Je me suis rendormie. Je me suis réveillée. Mon téléphone clignotait.

« Mes pensées étaient injustes, tu disais vrai. Elles m'ont entraîné dans une chute que j'ai créée. Je suis tombé bien bas. J'ai touché le fond. Aidez-moi à me relever. Je désire retrouver votre confiance. Je dis "vous", car en t'écrivant je pense à toi et à Vincent, ma vraie famille. J'espère que tu as pu trouver le repos et la paix que je t'ai refusés lamentablement ce soir. »

Il était cinq heures. J'ai pensé : « Je n'ai jamais reçu de telles excuses. » Je me suis rendormie et réveillée. Ça clignotait encore.

« Est-ce fini ? Est-ce qu'on peut revenir en arrière ? Réparer ? J'ai peur. »

J'ai pensé : « Il fallait y réfléchir avant mon vieux. »

Claire respirait calmement.

Quelques minutes sont passées.

« Si j'ai pris ce personnage lourd et odieux, c'était pour être bien lesté, plonger direct. Mettre fin à cette soirée qui s'annonçait. J'ai été très bête. Aucune de ces paroles blessantes n'a été pensée. Elles ont été dites, oui. Pensées, non. »

La nuit s'éclaircissait. L'air caressait mon poignet. Je me suis rendormie, et réveillée.

« L'idée de te quitter, ou que tu partes, était insupportable. Alors il fallait que ça aille vite, et j'ai dit tout ça. Je n'ai plus que toi à qui dire ce soir que j'ai mal agi. Es-tu encore là ? Me laisseras-tu tout avouer ? Pauvre amour, j'espère que ces routes tortueuses me mèneront à toi. »

J'ai pensé : « Non. »

L'aube pointait. Je profitais de la paix et du silence. Claire a bougé. Et elle a ouvert les yeux.

— Ça va ?

— Ça va. Et toi ?

— Ça va.

On prenait le petit-déjeuner. J'ai reçu un nouveau texto :

« Je t'en supplie, accepte ma prière, n'aie pas peur, elle vient du cœur. C'est pour te demander pardon de l'acte que j'ai commis aujourd'hui. »

J'ai montré les textos à Claire.

— Ça alors, c'est vraiment ce qu'on appelle des plates excuses !

— C'est la première fois que je reçois des excuses comme ça.

— Il doit être très mal.

Je suis allée prendre ma douche. Pendant que l'eau coulait sur mes épaules, j'ai décidé de rentrer.

Je glissais la clé dans la serrure, il y a eu un bruit de pas derrière la porte. Alex a ouvert en même temps que moi. Torse nu. Les yeux creusés, dans le couloir étroit.

— Pardon.

— T'inquiète pas Minou.

Je l'ai pris dans mes bras.

— Pardonne-moi si tu peux.

Il avait l'air honteux.

— Pardon.

— Viens dans mes bras.

Il semblait tout petit, tout maigre.

— C'est fini. C'est pas grave. On ne va pas oublier, non. Mais c'est fini tout ça Alex. Tu comprends ? Fini.

Il pleurait. Il avait la tête baissée, et les joues inondées.

— Chut. Pleure pas. T'inquiète pas Minou. Tout ça, c'est derrière nous maintenant. Les cris, les disputes. Ça va aller. Ça arrivera plus. Il y a quelque chose de nouveau qui commence. J'ai jamais reçu des excuses comme les tiennes. J'en ai reçu des excuses, comme celles-là jamais. J'y crois à tes excuses. J'y crois Alex. C'est pour ça que je suis là. C'est parce que j'y crois. Viens. Viens, on va s'asseoir dans le salon. Hein !? Tu viens ? On est chez nous. C'est chez nous ici. C'est notre maison. Et c'est une nouvelle vie qui commence. On va passer une bonne journée. Tu vas voir. On va commencer comme ça. Hein !? On va passer une merveilleuse journée. On va pas faire grand-chose, parce qu'on est fatigués. Mais ça sera une bonne journée. Une journée heureuse. Tu vas voir.

Le lendemain, Vincent m'a téléphoné. Son producteur proposait de nous réserver une chambre, au bord de la mer, pour écrire les premières scènes du scénario dont il avait eu l'idée. On pouvait partir où on voulait, et rester plusieurs jours.

— On va où tu veux. C'est toi qui choisis.

— Qu'est-ce qu'on va dire à Alex ?

— La vérité. Qu'on part travailler.

— Il est pas fou Alex, on peut demander une chambre à deux lits d'accord… mais… Bon, cela dit, vu ce qui s'est passé, je vois pas comment il peut refuser. Il a honte. Tu sais j'ai vraiment failli ne pas rentrer. Tu te souviens comment j'étais, dans la rue, le soir, quand je t'ai appelé. Là ça va un peu mieux, mais… Il est pas en position de faire des histoires en tout cas. Je crois pas. Si je lui dis que je pars quelques jours, je pars.

Le lendemain, j'ai pris les billets. Vincent est passé me chercher. On a pris le métro. Alex m'a aidée à descendre ma valise sur le quai. Et il est remonté.

Je partais au bord de la mer avec Vincent pour la deuxième fois. Les buissons défilaient par la vitre. Les champs à perte de vue. Le ciel s'étalait. De temps en temps, des bosquets apparaissaient sur les collines. Des groupes de maisonnettes. Et dans ma poitrine, je sentais mon cœur qui bondissait.

La chambre donnait sur la mer. Il y avait une terrasse. Deux transats en bois recouverts d'un matelas bleu disposés face au large. La plage s'étendait sur plusieurs kilomètres. Le ciel était gris. Il faisait un peu frais. Il y avait de gros nuages noirs sur la droite en direction du Havre. Et la météo avait annoncé de la pluie pour les prochains jours.

L'hôtel se trouvait à cent mètres des vagues. Il en était séparé par un terrain de tennis suivi d'une esplanade. Je regardais la mer penchée par-dessus la balustrade. Au loin, les promeneurs disséminés paraissaient perdus sur le sable. C'était marée basse. L'eau s'était retirée tout près de la ligne d'horizon. Il y avait du vent. Les nuages bougeaient, glissaient vers la gauche. Des pièces de ciel bleu commençaient à apparaître. Il y a eu un rayon de soleil sur la terrasse. Je me suis allongée sur un transat, et Vincent sur l'autre.

— Elle est belle hein cette chambre…
— Très !

Il avait acheté des cigarettes à la gare. Il en a sorti une du paquet, il l'a mise entre ses lèvres, et il a fermé les yeux. Il en a tiré quelques bouffées. On était là. Dans cet hôtel. Sur cette terrasse. Face à la mer. Chacun sur un transat. Presque dix ans s'étaient écoulés depuis la dernière fois qu'on avait été seuls dans une pièce tous les deux. Trois mois plus tôt, une telle situation aurait été inimaginable.

— T'es content d'être là ?

— Très content.

La fermeture Éclair de son blouson était remontée jusque sous le menton. Il avait mis ses écouteurs. Son pied s'agitait sur le matelas. Il le frottait sur un rythme frénétique, qui devait être celui de la chanson qu'il écoutait. Le reste du corps était immobile. Je regardais son visage. Son front. Ses cheveux ondulés parcourus de fils argentés. On venait d'arriver. On avait quatre jours à passer dans cet hôtel. J'ai pensé : « Ces quatre jours vont vite passer. » J'ai fermé les yeux pour profiter du soleil qui filtrait à travers les nuages. Je les ai rouverts. Une lumière blanche, aveuglante, perçait les différentes couches de gris.

— Tu te rappelles la dernière fois qu'on est allés au bord de la mer ?

Il a retiré ses écouteurs :

— Quoi ?

— Non, je disais : Est-ce que tu te souviens de la dernière fois qu'on est allés au bord de la mer tous les deux ?

— À Biarritz, bien sûr.

Il y avait du vent. Ses cheveux volaient.

— Je suis heureuse. Je suis heureuse avec toi.

On a frappé à la porte. Je me suis levée. La moquette était épaisse. On sentait la laine entre les orteils. Un garçon est entré avec un plateau.

Il était brun, mince. Il souriait.

— Souhaitez-vous que je vous ouvre le champagne, madame ?

— Je vous remercie, ce n'est pas la peine.

Il a mis le seau à champagne sur le bureau. Il y avait une enveloppe à nos deux noms. C'était un mot du directeur de l'hôtel, qui nous souhaitait la bienvenue.

Un dressing était aménagé dans une petite pièce lambrissée. J'ai défait ma valise. J'ai pensé : « Ça amuserait Alex de me voir mettre mes vêtements sur les cintres et dans les casiers. » Puis : « Non. Avec lui, je serais moins légère. J'aurais payé la chambre toute seule, je ne l'aurais pas fait, et si j'avais été invitée pour une raison professionnelle, j'aurais été moins détendue. Je n'aurais pas rangé mes affaires en chantonnant comme je suis en train de le faire. »

Les meubles étaient en bois foncé. Sur le bureau, il y avait un classeur en cuir ouvert à la page du room-service, une bouteille d'eau sur laquelle était dessinée en relief une ligne de crête enneigée, trois petites bouteilles de jus de fruit, et une boîte de palets au chocolat. Chacun était à l'effigie de l'hôtel.

On reconnaissait d'un côté le dessin de la façade et de l'autre le logo de la chaîne.

Une coiffeuse surmontée d'un miroir ovale occupait l'angle près de la fenêtre. Des revues de décoration y étaient présentées en éventail. Devant, il y avait un petit fauteuil bas. Sur lequel Vincent avait posé son sac à dos.

— Qu'est-ce que tu fais, tu touches pas mes affaires hein ?

— Mais non, je cherche le journal. Je sais plus où je l'ai mis. Tu veux quelque chose ? Il y a trois petites bouteilles de jus de fruit, sur le bureau, qui ont l'air très bons. Tu veux que je t'en apporte une ?

— Pas maintenant. Merci.

J'ai poussé la porte de la salle de bain. Un grand miroir allait d'un mur à l'autre. Je me suis vue. Je me suis souri. J'ai pensé : « Je ne sais pas où j'en suis. On verra. Pour l'instant je ne réfléchis pas. » J'étais heureuse. C'était le sentiment qui dominait. La baignoire était en marbre vert. J'ai ouvert le robinet. L'eau sortait à gros bouillons d'une bouche de lion en bronze. Un peignoir était suspendu de chaque côté de la porte. Pour me rendre compte de l'épaisseur du tissu, j'ai pris un pan dans ma main, et je l'ai froissé entre mes doigts.

Le lit avait été séparé à ma demande en deux lits jumeaux. Un vide de cinquante centimètres avait été laissé entre eux. Sur son bord extérieur chacun était flanqué d'une table de nuit en acajou. Les lampes de chevet étaient surmontées d'un abat-jour en tissu plissé, de couleur crème, le pied en bronze représentait une colonne dorique. Je me suis assise sur le lit pour vérifier la souplesse du matelas. J'ai vu le journal. Il était tombé par terre dans le vide de cinquante centimètres. Je l'ai ramassé. Puis, avec les genoux, j'ai rapproché l'un de l'autre les deux lits jumeaux.

De l'extérieur, Vincent a crié :

— Tu viendras avec moi à la salle de sport ?

— Je ferai pas de sport, mais oui je viendrai.

Je l'ai rejoint sur la terrasse.

— Comment on va faire Vincent ?

— Pour ?

— Pour nous.

Il a écrasé sa cigarette dans un cendrier posé au sol.

— Il faut que tu trouves une solution pour Alex. Où il va aller ?

— OK, donc, pour toi, c'est juste un problème de logement. Excuse-moi de le dire, ça a l'air ridicule que ce soit moi qui le dise, mais... il m'aime Alex. Je pense pas qu'il soit avec moi uniquement pour avoir un toit.

— J'ai pas dit qu'il t'aimait pas. Bien sûr qu'il t'aime. Mais comme il a pas d'argent... il faut régler ce problème pour voir ce qu'il va faire. Après on saura.

— On saura quoi ?

— On verra plus clair. Vous êtes ensemble depuis combien de temps ?

— Neuf ans.

— Neuf ans !? Et vous vous êtes pas mariés, vous avez pas fait d'enfant, vous avez rien fait !?

— Si. On a fait des choses.

— Quoi ?

— On n'a pas fait des choses comme ça. Mais on a fait des trucs importants. Nous, qu'est-ce qu'on a fait, nous ? De si extraordinaire ? Quand on était ensemble ? On a fait mieux ?

— T'as vu tous les problèmes qu'on a eus ? Des fois, j'ai l'impression que tu t'en souviens pas. Tu disais tout le temps qu'il fallait que tu me quittes, on n'était jamais stables. Moi aussi à ce moment-là j'avais des problèmes.

— Pourquoi t'es pas resté avec moi ?

— C'est pas moi qui t'ai quittée je te rappelle !

— Pourquoi t'es pas revenu me chercher ? Même après, quand j'ai rencontré Alex.

— J'avais pas ton numéro.

— Tu pouvais pas le trouver ?

— Je pensais que tu m'avais utilisé. C'était logique que tu me quittes. Pour moi j'étais une victime.

Il a fermé les yeux. Il m'a tendu la main. Sa main dans la mienne j'ai pensé que je l'aimais. Ma gorge s'est serrée.

Le soleil brûlait la terrasse. Le bleu du ciel avait déchiré les nuages. Il est allé prendre une petite bouteille de jus de fruit dans la chambre.

— J'ai faim, moi, Vincent. Pas toi ? Tu veux quelque chose ? Je vais appeler le room-service.

Je passais la commande. Assise sur le lit, je me suis vue dans le miroir de la coiffeuse. J'ai pensé que je n'avais pas eu un visage aussi détendu depuis longtemps.

Quelques minutes plus tard, on a frappé à la porte. Une jeune fille poussait un trolley. Elle l'a glissé entre les battants de la fenêtre pour qu'on puisse profiter de la vue. J'avais commandé un potage. Elle a retiré la cloche en argent qui le gardait au chaud, et elle est sortie. J'étais assise devant l'assiette fumante. Les plis de la nappe retombaient sur mes genoux. Je regardais la mer. Vincent arpentait la terrasse en picorant du pain et du fromage.

— Vincent...
— Oui.
— Pourquoi on est là, tu crois ?
— Parce que t'es à moi.
— Tu penses ça ?
— Oui. T'es à moi.
— Et c'est pour ça qu'on est là ?
— Bien sûr.
— Et toi, t'es à qui ?
— À toi. Forcément. Tu le sais. Et je le sais aussi.
— Pourquoi on s'est quittés pendant dix ans si on est l'un à l'autre ?
— On savait qu'on allait se retrouver. C'est l'évidence. Toi, tu t'es mise avec Alex, comme ça tu étais sûre que tu me reverrais.

— Pas vraiment. Puisque tu as arrêté de le voir après. Ça vous a éloignés au contraire.

— Au début, et puis… Tu vois.

— Je pensais que je te reverrais jamais.

— Moi aussi, mais on est là…

— Il m'a beaucoup apporté Alex. Il faut pas que je le blesse. Je sais pas comment je vais faire.

— On a le temps.

— Encore ?… Encore du temps ?

Au loin, sur la ligne où s'arrêtaient les vagues, des chevaux passaient au trot, en file indienne, dans la direction du Havre. Le ciel était vide, large. La blancheur aveuglante.

— Il est bon ton fromage ?

— Délicieux. Et toi, ton potage ?

— Tout est bon. Le pain, la soupe, tout…

Le ciel s'est voilé. Il commençait à faire froid. On a glissé le trolley hors des battants de la fenêtre. Vincent s'est allongé sur un des lits.

— J'écoute encore un peu de musique…

J'ai pensé : « Il est à côté de moi. C'est incroyable. Il est là. » Je me suis blottie contre lui. Il a mis sa main autour de ma taille.

— On ira au sport ? Il y a un hammam, tu veux y aller ?

Je me suis changée dans la salle de bain. J'avais laissé la porte entrouverte. Il a passé la tête dans l'embrasure.

— T'es prête ?

— J'arrive.

Il est entré, il s'est mis derrière moi, il a collé son corps au mien. Il a fait des mouvements de bassin, en tapant contre mes fesses.

— Vincent je...

Mon visage s'était durci. Je me voyais dans le miroir. Je ne souriais pas.

Il a ri. Il a reculé.

— Allez. Viens, on y va.

La salle de sport donnait sur la ville. Les immeubles. Les collines. Le ciel était sombre. J'étais sur un vélo. Je me disais : « Il est incroyable Alex quand même. Il doit penser à moi, ça doit être insupportable. Tant pis pour lui, il avait qu'à pas me traiter de pute. » Dans un renfoncement tapissé de miroirs, un homme âgé allongé sur un banc ramenait les bras au-dessus de lui avec des haltères dans les mains. Une jeune fille est entrée, elle lui a fait signe, ils sont sortis. On était seuls dans la salle. Vincent courait sur un tapis. Je me suis allongée sur la moquette à côté de lui. Une main sous la nuque, je le voyais en contre-plongée. Le bruit de son souffle. Celui de ses pieds sur le tapis. Ses cheveux se hérissaient sous l'effet de la transpiration. Ils volaient autour de lui, tout fins. J'ai pensé que je l'aimais. Ma gorge s'est de nouveau serrée.

— Vincent.

— Oui.

— L'autre jour, au spectacle, il y avait une fille…
c'est qui cette fille ?

— Il y avait pas de fille.

— Me mens pas, je l'ai vue. Quand t'es sorti de
scène, elle t'a touché la taille.

— T'inquiète pas… je vois même pas de quelle
fille tu parles.

— Fais pas semblant. La blonde qui était au
concert.

— Je la connais depuis longtemps, je la reprends
de temps en temps. C'est juste comme ça.

— Il y en a beaucoup dans ce cas-là ?

— T'as rien à craindre. Y en a pas une qui t'arrive
à la cheville.

— Si c'est ce que tu penses, pourquoi t'es pas
revenu me chercher plus tôt ? Qu'est-ce que tu veux ?
Je comprends pas ce que tu veux.

— Être avec toi.

— T'es sûr ?

— Certain.

Son tee-shirt était trempé. Il l'a retiré.

— Tu crois que je pars au bord de la mer, avec
les autres filles ?

— Je sais pas.

Il tenait la chair de son ventre, à pleines mains,
pour me montrer qu'il avait pris des kilos. J'ai ri. Et
il a éclaté de rire.

On est repassés dans la chambre. Les rideaux
étaient tirés. Les lampes allumées. Un chocolat avait
été déposé sur chaque oreiller.

132

— T'as appelé Alex ?

— Non.

— Tu devrais le faire. Dis-lui que t'es bien arrivée.

— J'ai pas envie de lui parler maintenant. Je vais lui envoyer un texto.

J'ai tapoté sur mon téléphone : « Tout va bien. Je pense à toi. Je t'embrasse. » Alex a répondu : « Moi je t'aime. » J'ai tapoté : « Moi aussi je t'aime, et pense à toi. »

— Qu'est-ce qu'on fait Vincent ? On dîne à l'hôtel ?

— C'est mieux qu'on aille dans un truc simple.

On s'est promenés sur la plage. On est allés au bout de la digue. Puis dans le centre-ville. Le tracé des rues, la propreté. On aurait dit une ville de poupées. Il y avait du vent. On marchait flanc contre flanc, main dans la main.

On s'est arrêtés dans une pizzeria. On était assis face à face. Nos genoux se touchaient. Nos mains étaient posées l'une sur l'autre sur la nappe.

— Quand je suis avec toi Vincent, j'ai une drôle de sensation.

— Qu'est-ce que ça te fait ?

— … Comment te dire ça ? En fait… j'ai l'impression que je suis toi. T'es un autre moi-même ?

— Je pense pas non.

— Je le sens comme ça. C'est pour ça que je suis fragile quand je pense à toi. Que je pleure, et tout ça. Et que je supporte pas quand tu souffres. Ou quand tu t'éloignes. Que j'ai peur pour toi. T'es moi alors... quand t'es pas là je... Tu me laisseras plus hein ?

Il m'a regardée.

— Hein ?

Ses yeux brillaient.

— Dis-moi.

— Plus jamais.

On est rentrés à l'hôtel. Chacun s'est couché dans son lit. J'étais à plat ventre. Je le regardais. Son visage. Ses cheveux étalés sur l'oreiller. J'ai posé ma main sur son épaule, il a dit :

— Mets-toi de l'autre côté.

— Non, pourquoi, je préfère te voir.

— Mets-toi de l'autre côté pour que je puisse caresser tes fesses.

— Ah non Vincent ! On a pris deux lits, c'est pas pour...

— Juste comme ça. Pour me faire plaisir.

Je me suis tournée. Il a mis sa main sur mes hanches. Il me caressait par-dessus les draps. J'ai pensé : « Je vais m'endormir comme ça. » Il a tiré la couverture, et plaqué sa paume entre mes jambes. J'ai pensé : « Non. Avant il faut qu'on règle la situation avec Alex. » Il a collé son bassin contre mes fesses, j'ai sursauté.

— T'inquiète pas. Reste là. Bouge pas.

— Si, Vincent, justement je m'inquiète.

Il a mis son sexe entre mes cuisses.

— Noooooon. Je t'ai dit non. NON NON NON.

— T'es méchante !

Il a bondi hors du lit.

Il était près de la coiffeuse, debout.

— Je pars là. Tu me verras plus jamais.

Il a commencé à remplir son sac à dos.

— Non Vincent. Pas ça, pas ça, pas ça.

Il a pris la direction du couloir.

— Pas ça Vincent. Non. Je t'en supplie. Pas ça. Pas ça. Je t'aime. Vincent.

— Il y a pas que toi, moi aussi je t'aime. Qu'est-ce que tu crois !? Et tu me fais mal.

J'ai couru vers lui en larmes.

— Ne pars pas. Je t'en prie. Viens. Viens, on va se recoucher.

— Je me recouche pas avec toi. Mais d'accord je reste.

Il a pris une chaise. Il l'a mise dans la salle de bain. Il a posé un livre sur le rebord du lavabo, et il s'est assis.

Il tournait les pages.

— Tu vas rester là ?

— J'ai envie de lire.

— OK. Je vais me coucher.

J'ai éteint la lumière. Je me suis endormie.

Au milieu de la nuit, j'ai senti une main qui me dénudait. Il m'a léchée. Il est entré en moi. Ç'a été comme une décharge électrique. J'ai pensé : « Sa forme est adaptée à la mienne. C'est parfait. C'est merveilleux. » Il entrait, il sortait, mon regard partait ailleurs. Dans un autre monde. On a joui. On s'est endormis dans les bras l'un de l'autre.

Le matin, il est parti à la salle de sport. Soudain la lumière s'est éteinte. Il avait pris le rectangle en plastique qui servait de clé, et qui commandait l'interrupteur. J'en ai demandé un autre à la réception, j'ai pensé, en le glissant dans la fente : « Il est tellement égoïste… jamais Alex n'aurait fait ça. » Il est revenu. On est sortis. On a marché le long de la mer. On a parlé de son père, de ses enfants, de ses difficultés. De nous. On est allés tout au bout de la digue. De retour à l'hôtel on s'est installés au bar. On a travaillé. On a encore parlé. On parlait tout le temps. Au lit, au restaurant, en longeant la mer. Toutes les nuits on a fait l'amour.

Le dernier soir, on était dans la salle de bain, il a dit : « Je partirai plus, mais toi non plus pars pas. On va attendre un peu, on va voir comment faire, et… on verra. Et je t'offrirai même peut-être une bague… »

Le lendemain, en refermant la porte, j'ai pensé : « Voilà, c'est fini. C'est passé. Ça ne se reproduira pas. »

Les quatre jours étaient écoulés. On était à la réception. On nous a demandé si on était satisfaits.

J'ai souri.

— On a été très heureux.

On a quitté l'hôtel.

En allant à la gare, on est passés devant la pizzeria du premier soir. On s'est dit qu'on allait revenir.

Les paysages défilaient par la vitre. Il était côté fenêtre, il lisait. On approchait de Paris. Ma gorge se serrait.

— Vincent, je suis pas bien.

— Pourquoi ? On n'est qu'au début.

— Je suis malheureuse de te quitter.

— Pleure pas. Fais-moi confiance. Ça va aller. Tu verras.

— Toi t'es pas malheureux ? T'es pas triste toi de me quitter ?

— Je te quitte pas, on en aura plein des moments comme ça. Reste avec moi. Réfléchis plutôt à la prochaine fois. Pars pas dans tes trucs. Allez, reste avec moi.

— C'est horrible, j'ai pas envie de rentrer. On était tellement bien. Je suis heureuse avec toi Vincent.

— On va y retourner là-bas. Regarde tous les projets qu'on a.

— T'es sûr ?

— Certain. Pourquoi je te dirais ça ? Qu'est-ce que tu vas faire en rentrant ?

— Ben il faut que je parte quelques jours avec Alex… Pfff. J'ai pas envie.

— Moi j'ai besoin de quelques jours avant de repartir, Alex, j'ai des choses à faire ici. Regarde. J'ai plein de courrier en retard… j'aimerais bien ranger mon bureau…

Je lui montrais le désordre sur ma table.

— Il faut que je m'en occupe, sinon tout ça, à mon retour, je vais le retrouver.

Une amie nous prêtait sa maison en Bretagne. Il avait son ordinateur sur les genoux, il me proposait des trains pour le lendemain.

— Je comprends pas pourquoi il faut que tu ranges ton bureau maintenant. Tu te plains toujours qu'on part pas. Quand t'es partie avec Vincent, tu t'es décidée en un quart d'heure. T'as une amie qui nous prête sa maison, on prend les billets, on y va. C'est tout. On n'a pas eu de vacances tous les deux. Tu dis toujours que tu veux partir, tu veux plus. Je te comprends pas.

— Là j'ai rendez-vous avec Réjane. On en parle tout à l'heure ?

Au café, en attendant, j'ai reçu : « T'es où entre les deux mon cœur balance ? » J'ai répondu : « Dans un café à Pigalle. J'attends une amie. » J'ai reçu : « Fais-moi signe quand t'as fini autant en emporte le vent. »

Réjane est arrivée :

— Alors, ça s'est bien passé ?

— Ça s'est pas *bien* passé Réjane. C'était merveilleux.

— Vous vous êtes quittés comment hier ?

— C'était dur. J'étais triste. On a pris le métro. Il est sorti à sa station, il m'a fait un signe de la main sur le quai. Et voilà.

— Vous vous êtes rien dit ?

— Si. On s'est dit plein de choses. Lui il dit qu'on est au début. Tout à l'heure, en t'attendant, j'ai reçu ça. Tiens, regarde, qu'est-ce que t'en penses ?

Elle a lu les textos.

— Il est jaloux, non ?

— Jaloux ? Je crois pas. Il a pas à l'être.

— « Entre les deux mon cœur balance », « fais-moi signe quand t'as fini autant en emporte le vent », c'est assez caustique quand même. Il le sait que tu pars en vacances avec Alex ?

— Oui. Mais il sait aussi que j'en ai pas envie.

Après le départ de Réjane, j'ai rappelé Vincent. Ça sonnait dans le vide.

Le lendemain, on est partis en Bretagne. Alex a loué une petite voiture sur place. On a visité la région.

Quiberon, Carnac. On se promenait le long des côtes. On déjeunait dans des cabanes de pêcheur. On marchait sur des sentiers. On était là depuis une semaine, son téléphone a sonné, il s'est arrêté au milieu du chemin.

J'ai continué. Il m'a rattrapée.

— Excuse-moi.

— Qui c'était ?

— Vincent.

— Il va bien ?

— Très bien.

La maison de notre amie avait une petite terrasse. On voyait la baie par une échappée. Autour de nous, il y avait des fleurs et des buissons.

— Si Vincent rappelle, tu pourrais me le passer s'il te plaît, ça fait une semaine que j'ai pas de nouvelles.

— Appelle-le.

— Il répond pas au téléphone.

On regardait la mer.

Il a jeté un coup d'œil derrière lui.

— Il faut que je taille les buissons moi. Ça attire les guêpes la lavande !

Il est parti dans la cuisine. Il est revenu, il a posé sur la table une assiette de langoustines.

— Tu sais Alex…

— Si t'as quelque chose à lui dire tu l'appelles !

On s'est tus.

On regardait la baie.

— Je suis assez en colère à vrai dire. Je sais pas pourquoi il répond pas.

— Moi je suis pas dans vos histoires.

— Je comprends. Mais s'il te rappelle, tu peux me le passer. Ou si vraiment tu veux pas, tu lui demandes pourquoi il me répond pas. Parce que moi je comprends pas pourquoi je suis allée perdre mon temps à travailler sur un scénario, alors que j'avais plein de choses en cours. Je l'ai fait pour lui. Je l'ai fait volontiers. J'étais heureuse de le faire. Maintenant j'ai aucune nouvelle, c'est *très* désagréable. J'ai aucun intérêt moi dans ce travail, je demande rien. Mais une marque de respect, au moins, quand même.

— Appelle-le.

— Il me répond pas je te dis.

— Y a rien à faire hein ! J'ai pas le droit d'avoir une semaine de vacances tranquille. Sans que tu sois mal parce que Vincent t'appelle pas !

— Je suis pas mal, je trouve pas ça correct. Du tout.

— T'as qu'à appeler le producteur. C'est pas à lui que t'as envoyé le scénario !? Parce que moi je vais pas parler de ça avec Vincent. Toi t'as peut-être pas d'intérêt… moi je travaille avec lui. Et t'es en train de tout foutre en l'air avec tes histoires.

— *Mes* histoires ?

— Tu crois que je te vois pas la nuit ?… Toutes les nuits tu regardes ton téléphone. Je te vois.

— Ah oui, c'est vrai. Tu vois tout. J'oublie.

— Ce soir tu voudras aller à Vannes ou pas ?

— Si c'est agréable, oui. Si c'est pour se parler comme ça, c'est pas la peine.

On était sur le port. Dans une crêperie. Rien n'allait. La table qu'on occupait. La vue. Les plats. Le ton sur lequel on se parlait. La serveuse nous a proposé un dessert. Alex en prenait toujours un. Il a demandé l'addition. Il a payé. On est partis.

La nuit, il a caressé ma taille en me disant qu'il m'aimait. Il m'a pénétrée avec ses doigts. Je me suis tournée vers lui, on s'est embrassés.

L'équilibre a été comme ça, précaire, toute la semaine.

Le dernier jour, on était dans une cabane de pêcheur. On contemplait le paysage. Le golfe. La lumière. On parlait du beau temps. Il n'y avait rien devant nous. La terrasse était vide. C'était marée basse. On voyait le fond des parcs à huîtres. Sur un banc de sable, il y avait des oiseaux immobiles sur leurs petites pattes.

— Tu trouves pas qu'il exagère Vincent, franchement ? Je fais tout un travail sur un scénario, au retour j'ai pas de nouvelles. Tu trouves ça correct toi ? Tu sais s'il est à Paris ?

— Oui, mais il va partir.

— Où ?

— Au Mexique je crois.

De retour à la maison, on a pris des billets pour Florence. On était sur le balcon. On attendait le taxi.

143

On allait être seuls à l'étranger. Dans la même pièce. Dans le même lit. Sans échappée possible. Sans amis. Alex fumait. Nos regards ne se croisaient pas.

— Qu'est-ce qu'il va faire au Mexique ? Il connaît des gens ?

— Je suppose, mais si on doit parler de Vincent toutes les vacances, je pars pas. Il a gâché la moitié de mon été. Là j'en ai marre. Ses vacances, lui, il va pas les gâcher. Toi tu penses peut-être à lui. Lui, il pense pas à toi en ce moment. Vincent il a une vie. Je pense même qu'il est marié.

— Pardon ?

— Il est marié Vincent.

Mon cœur s'est mis à battre. J'ai blanchi. Distinctement, un peu fort, j'ai dit :

— Qu'est-ce que c'est que cette histoire ? Quand ?

— Je sais pas quand.

— Tu sais pas ?

J'avais un regard dur, et un pli au coin des lèvres. J'ai dit d'une voix claire :

— Tu sais pas ? C'est original !

— Je sais, mais je sais pas exactement. C'est quelque chose que je sens.

— Tu le sens c'est-à-dire ?

— On discute beaucoup en tournée. Je vois bien ce qu'il me dit. Et je pense qu'il s'est marié.

— Il te l'a dit ?

— Non, mais je le sais. Je le sens.

— T'as vu ça sur Internet ?

— Non.

— Tu le sais ? Ou tu le sens ? Puisqu'il te l'a pas dit. C'est pas pareil.

— Les deux.

— Ah oui c'est vrai, tu sens les choses... Tu vois tout, tu sens les choses, c'est fou ce que tu peux avoir confiance en toi. Tu doutes jamais ? T'as peut-être raison remarque. Dans ce cas-là il m'a menti. Parce qu'il y a pas qu'en tournée que les gens parlent. Quand on fait un scénario, on parle. De soi, de sa vie, de son intimité. Lui il me dit qu'il a pas de femmes, c'est bizarre hein... Ou des trucs passagers. Il ment. C'est pour ça qu'il rappelle pas. Il doit être mal à l'aise. De toute façon, soit c'est à toi qu'il ment, soit c'est à moi. Il m'a pas dit qu'il était marié. Il me l'a pas non plus fait sentir. Donc c'est un type qui manipule. Puisque toi tu peux pas te tromper. Tu vois tout, tu sens tout. Moi je suis vraiment une conne en revanche. Je crois ce qu'on me dit. On ment pas dans le travail. Un type qui me ment, alors qu'il se prétend sincère, ça m'intéresse plus. Ça m'intéresse même plus d'avoir des nouvelles. À moins que ce soit toi qui prennes tes désirs pour la réalité, je sais pas. C'est possible aussi.

— Je sais ce que je dis.

Arrivée à l'aéroport, j'ai appelé Claire. En parlant avec elle, j'ai arraché les fils qui me reliaient à Vincent. Comme on débranche une prise. Par le raisonnement, la logique, la réflexion. Soit il était marié, c'était la raison pour laquelle il ne m'avait pas rappelée. Soit il ne l'était pas, c'était plus probable, il le faisait croire à Alex pour endormir sa méfiance. Dans les deux cas, il était mal à l'aise et ne répondait pas aux appels. Ou alors, c'était pour me gâcher mes vacances avec Alex. Tout simplement. Par jalousie. L'embarquement a commencé. Je marchais d'un hall à l'autre, avec mon téléphone à l'oreille :

— En tout cas, je vais tout faire pour ne pas gâcher ces vacances avec Alex. Je ne vais pas laisser détruire ma vie pour un type qui ment. Quelles que soient ses raisons.

Alex était au milieu des gens, près du comptoir d'enregistrement. De temps en temps, il levait les yeux vers moi pour voir où j'étais.

On est montés dans l'avion. J'ai dit :

— On va passer de bonnes vacances à Florence. Tu vas voir. Tu veux ?

— Et toi, tu veux, toi ?

— Bien sûr. Je t'aime Alex.

On restait couchés des heures l'après-midi. On traînait sur des terrasses le soir. On se promenait en scooter dans les rues. Sa main sur ma jambe, je me collais à son dos. Je pensais : « Voilà, c'est revenu. C'est une question de volonté en fait. J'aurais pu arrêter ce délire bien plus tôt. Quel bonheur. Comme je suis bien. Comme ça fait du bien. On s'est retrouvés. Ça y est. Quel gâchis si j'avais continué dans mon délire. » On avait une chambre en duplex. Le lit était en haut, le bureau en bas. Le matin je travaillais. Vers midi il descendait.

— J'en peux plus Alex. J'ai pas une phrase qui tient debout.

— Ça va venir. T'inquiète pas.

— Ça fait six mois que j'essaye. J'ai rien. Tout tombe. Tout est nul.

J'en pleurais.

— J'arrive pas à savoir ce qu'il faut que je fasse. Je trouve pas. Je suis fatiguée. Qu'est-ce qu'il faut que j'écrive d'après toi ? J'en ai marre. Dis-moi ce qu'il faut que je fasse. S'il te plaît.

— Je sais pas.

— Qu'est-ce que t'aimerais lire, toi ? De moi.

— C'est pas à moi de dire.

— Pourquoi pas.

— Mais moi c'est par curiosité…

— Dis.

— J'aimerais bien lire comment ça s'est passé quand t'es partie avec Vincent.

— J'y ai pensé. J'y arrive pas. J'ai rien à en dire. Je peux rien en faire. J'ai essayé. Ça glisse. Ça reste pas. C'est rien. Il y a pas de vrai.

C'était la fin de l'été. Il arrosait les plantes sur le balcon. Je le regardais à travers la vitre. Je suis allée le rejoindre.

J'étais assise sur un fauteuil en rotin.

— On pourrait se pacser. Non ? Qu'est-ce que t'en penses ?

Il continuait d'arroser les plantes.

— Si c'est juste pour une histoire d'impôts, ça m'intéresse pas.

— C'est pas pour une histoire d'impôts...

— ...

— Tu veux pas t'asseoir ? Viens...

Il s'est installé sur l'autre fauteuil.

— Pourquoi on fait pas le vrai truc alors ? On n'a qu'à se marier.

— Si tu veux. Bien sûr. Si tu peux m'offrir une bague, oui. Au contraire. Sinon, il vaut peut-être mieux qu'on attende. C'est peut-être pas une bonne base. Il vaut pas mieux attendre que tu puisses m'offrir un petit quelque chose. Non ?

— C'est sûr.

— On n'a qu'à commencer par un PACS. On verra. On verra après. Il faut que ça nous fasse plaisir, sinon ça sert à rien. On peut aussi rester comme ça. Bon. On réfléchit ?

Quelques semaines plus tard, il était sur le balcon, il téléphonait. À ses rires et à ses attitudes, j'ai compris qu'il parlait à Vincent. Les coups de fil quotidiens ont repris. Il m'a communiqué des dates de tournée. Vincent ne m'appelait pas. Ça blessait un peu mon orgueil. C'était tout. J'ai juste dit un jour :

— Tu lui as demandé pourquoi j'ai pas eu de nouvelles du scénario ?

— On n'a pas parlé de ça.

— Toi sinon t'as ton contrat ?

— C'est mes affaires. Je m'en occupe.

— Tout va bien ?

— Tout va bien.

Il avait l'air heureux. Son travail lui plaisait. Leur amitié se confirmait. Ils s'appelaient tous les jours. Je le voyais rire à travers la vitre. Une voix lointaine me parvenait déformée par l'appareil. Ça m'était indifférent. Vincent ne m'obsédait plus. On a reparlé du PACS. Et la mairie nous a fixé une date.

Alex venait de rentrer, il est allé directement dans sa pièce. De la cuisine, j'entendais sa voix. Puis il est arrivé.

— Vincent voudrait que tu l'appelles.

— Il fait passer le message par toi !? Il a perdu mon numéro ?

— Peut-être qu'il est gêné.

— Pourquoi gêné !?

— Il devait t'appeler. Il l'a pas fait.

— Oh là… Je m'en fous de ce scénario moi maintenant. C'est une vieille histoire. Ça m'a énervée sur le moment, mais pfff… Je vais pas l'appeler en tout cas. Il fallait que je fasse un scénario, je l'ai fait, j'ai écrit des scènes, on n'a plus besoin de moi… c'est pas grave. Là on me rappelle, bon, d'accord. Mais moi je rappelle pas quelqu'un qui me ment. Ça, c'est très clair. Qui me parle de sa solitude affective, alors qu'il est marié. Non.

— Je me suis peut-être trompé…

— Peu importe. J'ai aucune raison de l'appeler. Vous vous en sortez très bien tous les deux. Ça fait deux mois que vous vous voyez tous les jours. J'ai voulu lui parler à un moment, c'était pas possible, là tout d'un coup, j'existe !? Non, je vis pas comme ça moi.

— Qu'est-ce que je lui dis ?

— Ce que tu veux.

Il est reparti. Deux minutes après, mon téléphone sonnait.

— T'es toujours vivant !?

— Oui. Ça va bien ?

— Très bien. Et toi ?

— Très bien.

— Il paraît que t'es marié ?

— Ah bon… Qui t'a dit ça ?

— Peu importe.

— Et je me serais marié quand ?

— Je sais pas.

— T'as vu ça où ?

— C'est Alex qui me l'a dit.

— Je sais pas où il a pris ça.

— T'es marié ou pas ?

— D'après toi ?

— Je sais pas.

— Réfléchis.

— …

— Non, bien sûr.

— Tu m'as pas appelée en tout cas. Les jours qu'on a passés ensemble, ça n'avait aucun sens pour toi…

— Si justement. Ça en a beaucoup. Et après ce qui s'est passé « entre nous », mais est-ce que je peux dire ça, « entre nous » ?

— Bien sûr.

— Alors, après ce qui s'est passé entre nous, j'étais gêné par rapport à Alex. Pour moi il s'est passé quelque chose entre nous.

— Ah pour moi aussi. Pour toi, ç'avait l'air effacé.

— C'était pas effacé, mais je pouvais pas téléphoner à Alex, parler du travail, tout ça, et t'appeler après. J'y arrivais pas. Excuse-moi. T'étais à côté de lui non !? Tu savais où j'étais, puisque j'appelais Alex…

— Oh arrête !! Arrête de tout mélanger comme ça. OK. Bon. C'est quoi notre futur ? Y en a pas je suppose.

— On peut pas parler là… Il est là…

— Il est pas dans la même pièce, mais oui, il est pas loin.

— Je t'aime.

— Oh ça va. J'ai pas envie d'entendre ça.

Quelques minutes plus tard, on riait. Alex est revenu. J'étais en train de rire. Je suis allée dans la chambre. J'ai laissé la porte ouverte pour ne pas le vexer. La conversation continuait. J'ai pensé : « Ça fait une heure que je parle avec Vincent, je devrais raccrocher. »

Les tensions entre Alex et moi ont repris. Vincent venait à la maison. Certaines discussions de travail avaient lieu devant moi. Il demandait mon avis. Alex levait les yeux au ciel pendant que je répondais. Je m'en prenais à Vincent pour masquer mon énervement. J'aurais voulu être seule avec lui. Ils étaient toujours ensemble. En tournée, ça continuait. Au théâtre, au restaurant, dans le bus. La nuit, les sièges se transformaient en couchettes. Quand Vincent voulait m'appeler, il faisait quelques pas sur une route.

— T'es où ? T'es tout seul ?

— Oui c'est bon là. Je marche sur un parking.

— Qu'est-ce qu'on va faire Vincent ?

— Il faut que je me débrouille pour qu'il ait un salaire. C'est pas facile. Il y a plein de jeunes qui en savent autant que lui maintenant. Sur les nouvelles techniques, il est dépassé.

— Dépassé ? Il est très bon Alex. Je comprends pas.

Il s'est mis à rire.

— Il est pas bon ?

— C'est dur, tu te rends pas compte.

— S'il sert à rien, je comprends pas pourquoi tu veux absolument qu'il t'accompagne. Pourquoi il est hyper-fatigué quand il rentre. Pourquoi t'as tellement besoin de lui, alors ?

— C'est lui qui veut venir.

— Toi non ?

— Si. Mais il faudrait qu'il trouve un travail ailleurs.

— Je comprends pas. J'ai écouté les nouveaux morceaux que vous avez faits ensemble, ils sont magnifiques.

— Je sais. Mais je suis pas tout seul. Les autres aussi ils ont des gars à placer.

— T'as plus besoin de lui ?

— Si, mais je peux pas le payer. Paye-le toi.

— Il travaille pas pour moi. Il *vit* avec moi.

— Tu vois pas comment il t'est dévoué ? Il s'est mis à ton service.

— T'es jaloux ? T'as tort. C'est à toi qu'il est dévoué. C'est avec toi qu'il passe ses journées, et ses nuits, sans être payé. En tout cas, moi j'arrive plus à le supporter. Je vais partir. Je vais prendre un appartement.

— Ah enfin !!

— Pourquoi tu dis ça ? Tu trouves ça bien ?

— Évidemment.

— Tu viendras habiter avec moi ?

— Bien sûr. Je serai peut-être pas là tout le temps parce que je suis pas casanier. Mais on habitera ensemble. On aura un toit.

— Ça sera chez nous ?

— Puisqu'on sera ensemble.

En raccrochant j'ai pensé : « Il faudrait qu'on annule ce PACS. Ou qu'on le repousse. »

La date fixée par la mairie est arrivée. Il pleuvait. C'était la fin de l'automne. Habillés pour la circonstance on se donnait la main dans la rue. J'ai pensé :

155

« Il ne faudrait pas que Vincent soit au courant ou qu'il nous voie comme ça. » On est entrés dans un petit bureau. L'employée nous a lu un contrat. Le mot solidarité revenait tout le temps. On a signé. L'émotion que j'ai ressentie a été aussi forte que celle que j'ai eue le jour où je me suis mariée avec Claude. On est sortis heureux. On s'est promenés sous la pluie. J'ai pensé : « On verra plus tard. S'il faut le défaire, tu le déferas. Là, tu es bien. Tu es heureuse. Tu fais comme ça. Après tu verras. Peut-être qu'il ne faudra pas le défaire. »

Le lendemain, ils sont partis en tournée.

Alex est rentré un matin à sept heures. Ils avaient roulé toute la nuit. Il avait mal à la tête. Il était épuisé. Il a dormi toute la journée. En se réveillant il a dit :

— J'arrête de travailler avec Vincent.

— Ça te fatigue trop ?

— C'est rien ça.

— Pourquoi alors ? T'as une raison ? Ou t'en as juste marre ?

— Voilà, c'est ça. J'en ai marre.

— Comment ça se fait, t'étais content...

— Je le suis plus.

— Y a une raison ?

— Je vais jamais te la dire.

— C'est une raison dans quel domaine ?

— Il me dit des choses qui me plaisent pas.

— Quelles choses ?

— Je vais jamais te les dire. Insiste pas.

Il est allé dans la cuisine, il a pris un fruit. Il a croqué dedans. Il l'a reposé. Il avait mal au cœur. Il a mangé du riz, puis il s'est allongé sur le canapé.

J'étais dans un fauteuil face à lui.

— Pourquoi t'as mal au cœur comme ça ? C'est d'être dans le bus ?

Il est allé aux toilettes. Il a vomi le peu qu'il avait ingurgité, il est revenu s'allonger.

Il avait froid. Il s'est enroulé dans une couverture. Il tremblait.

— Qu'est-ce que je peux faire Alex ? Je peux t'aider ?

Il est retourné aux toilettes. Je l'entendais gémir. Se racler la gorge. Il est revenu, il s'est assis.

— Qu'est-ce qui s'est passé ? Pourquoi t'es dans cet état ? Qu'est-ce qu'il t'a dit Vincent ?

— Qu'il faut que je te quitte.

— C'est lui qui décide ? Pourquoi il faudrait que tu me quittes ?

— Insiste pas. C'est pas la peine.

— T'as peur de me blesser ?

— C'est sûr que ça te ferait pas très plaisir.

— Pourquoi ça te met dans cet état ? Je comprends pas. Qu'est-ce qu'il a dit ?

— Je vais jamais te le dire.

— C'est si désagréable ?

— Que t'es pas une bonne personne. Que t'es quelqu'un de faux. Que t'es pas sincère.

J'ai décollé mon dos du fauteuil, le buste en avant, j'ai dit :

— Moi je suis pas sincère !? Moi je suis fausse ? Ah ben ça c'est pas mal alors !! Moi !?

— Oui. Toi.

— Moi !?

— Toi.

— C'est pas mal ça ! Alors ça ! Ça c'est pas mal !!
Je me suis levée.

— Ça alors c'est pas mal !

— Il dit que tu joues un double jeu. Qu'il faut
que je me méfie de toi.

— C'est pas de lui non des fois qu'il faudrait que
tu te méfies !? Il est gonflé ! Et qu'est-ce qui lui fait
dire que je suis fausse ? Il a des arguments ? Des
exemples ? De ma fausseté. Pour te prouver que je
suis pas une bonne personne, comme tu dis.

— Que tu veux être avec lui.

— Pardon !?

— Que tu me dis pas la vérité. Que tu lui dis que
tu l'aimes. Et que tu veux être avec lui.

— Ah oui !!?

— Oui.

— C'est faux Alex. C'est lui qui raconte ça.

— Arrête de me prendre pour un couillon.

— Pourquoi tu dis ça ? Lui tu le crois, moi tu me
crois pas !? Il a un tel pouvoir sur toi ?

— Il a pas de pouvoir sur moi. Il m'a montré des
textos que tu lui as envoyés.

Il s'est levé. Il a traversé le salon.

— Je veux plus te voir.

En passant, il m'a bousculée.

Il allait dans sa pièce.

Je l'ai suivi.

— Sors d'ici.

— Mais quels textos ? Quels textos ? Je lui ai jamais envoyé aucun texto qui puisse te déplaire.

J'étais dos à la porte. Il s'est assis sur le lit.

— Sors de là.

Il s'est relevé, il a avancé vers moi.

— Arrête ton petit jeu.

Il avait une grosse voix grave.

— Sors. T'as rien à faire là.

— Quels textos ? Il y a pas de textos.

— Me prends pas pour un couillon. Je les ai lus. Ça fait mal.

— C'est pas vrai.

— Tu peux mentir, ça sert à rien. Enlève-toi de là.

Mon dos était plaqué à la porte.

— Quels textos ? Je comprends pas. Ça disait quoi ?

— Pousse-toi. T'es dans le passage. Tu sors ?

— Mais ça disait quoi ?

— Love. Je t'aime. Je suis avec toi. Je pense à toi. J'aime ta voix. Rien ni personne pourra nous séparer. Des trucs comme ça. Que je suis un contrôleur. Que t'auras aucun problème pour être avec lui. Que tu veux être seule avec lui. Je vais plus jamais vivre ça. Ça fait mal.

— Et lui… Lui il…

— Tu te pousses ? Ou tu préfères que je m'en charge ?

Je me suis éloignée de la porte. Il a ouvert. Il est sorti.

Je ne tenais plus sur mes jambes. J'étais dans le vestibule. Il y avait une commode. Je m'y suis appuyée.

J'avais l'impression d'avoir reçu un coup de poing dans le ventre. Il est passé devant moi.

Il est repassé. Il avait un sac à la main. Il l'a posé sur le lit. Il a commencé à le remplir. J'ai pensé : « Pourquoi il lui a montré des textos ? Comment on peut faire aussi mal à quelqu'un !? Je veux plus jamais entendre parler de lui. Il fait du mal à Alex, en même temps il me trahit. C'est dégueulasse. Plus jamais je veux avoir affaire à lui. Il me donne un coup de poing dans le ventre. En même temps il me plante un couteau dans le dos. À moins que ce soit pour précipiter les choses, et qu'Alex s'en aille. Mais je m'en fous. Même si c'est ça, c'est pas recevable. On peut pas blesser les gens à ce point-là. C'est fini… Je vais plus jamais l'appeler. Je veux même plus en entendre parler. »

J'avais les jambes faibles, la gorge serrée. Il passait devant moi. Il marmonnait. Des mots émergeaient. Il avait une vie, il allait partir, il n'allait pas mourir.

— Moi je m'en fous. Je pars en Martinique. Je suis vivant. Je vais pas mourir à cause de toi. Tu vas jamais me voler ma vie !! Parce que c'est pas possible.

Il entassait des tee-shirts et des pantalons dans son sac. Il a pris son ordinateur, la Bible, *Les Travailleurs de la mer*. Il marchait d'une pièce à l'autre en disant qu'il s'en foutait, qu'il n'allait pas mourir.

Je me suis allongée sur le parquet du salon.

— J'en peux plus j'en peux plus j'en peux plus…

Je répétais ça en pleurant.

Il est apparu dans l'encadrement de la porte.

— Qu'est-ce que j'ai fait de mal dans ma vie pour mériter ça ? Hein, qu'est-ce que j'ai fait ?

Dehors il pleuvait. Il y avait du vent.

Il arpentait la pièce à grandes enjambées. De la fenêtre au mur, du mur à la fenêtre.

— Pourquoi je dois vivre ça ? Qu'est-ce que j'ai fait, mon Dieu ? Quelle faute j'ai commise ?

J'étais toujours allongée par terre.

— J'en peux plus j'en peux plus j'en peux plus j'en peux plus...

— Tu vas te taire !? Tu veux me rendre fou ? C'est ça que tu veux ? Tu y arriveras pas si c'est ça que tu cherches. Parce que je m'en fous. Arrête ton petit jeu. Arrête. Tu peux plus rien maintenant. C'est fini ! Parce que je m'en fous !! Je m'en fous !!!!!

Les voisins devaient entendre tellement il criait.

Je gémissais.

— J'en peux plus j'en peux plus j'en peux plus...

— Tais-toi. Arrête ton jeu.

Je me suis redressée, je me suis mise sur un coude.

— Mais quel jeu ? Quel jeu ?

Assise sur le sol j'ai dit :

— T'as l'impression que je joue là ? Pourquoi tu dis que je joue ? Je joue pas. Tu vois pas que c'est ma vie ? Et qu'elle est gâchée. Moi aussi j'ai une vie. J'aurais *pu* en avoir une, du moins. Espérer. J'ai une vie gâchée tu vois pas.

162

— Eh ben pas la mienne. La mienne elle est pas gâchée.

Il a hurlé :

— Alors écoute-moi bien. J'ai ma vie. Jamais tu détruiras ça. Tu m'entends ?

— Arrête de crier Alex s'il te plaît. Je t'en prie. Arrête. Tu vois pas que je souffre là ? T'es pas obligé de crier si fort quand même. Tu peux dire ce que tu veux. Mais moins fort. Ça les intéresse pas les voisins. Notre bêtise. Notre malheur. Notre malchance. Notre misère. Mon Dieu mon Dieu mon Dieu. Quelle tristesse mon Dieu. Comment c'est possible d'avoir une vie aussi triste. Toute une vie. Toute une vie sans jamais réussir à récupérer. À repartir. À se redresser. Mon Dieu. C'est pas vrai.

Il est retourné dans sa pièce :

— Moi je vais pas mourir !! Je veux plus vivre ça. Débrouillez-vous !! Puisque tout ce que je fais dans ma vie doit toujours se terminer comme ça, moi je m'en vais.

Il est revenu avec son sac à la main. Il était debout à l'entrée du salon.

Je me suis levée.

— Alex. Pars pas. Je t'en prie. Laisse-moi t'expliquer. Je t'en prie.

Je ne pleurais plus.

— Il y a rien à expliquer.

— Si Alex. Parce que tu comprends pas.

— T'as qu'à aller retrouver quelqu'un qui te comprend. Vas-y. Appelle-le.

— Mais je ne veux pas. J'ai pas envie. Arrête de me parler de lui. Je m'en fous.

— Lui aussi il s'en fout. Il dit que tu fais du mal aux gens. Que tu les trahis.

— Arrête de dire des horreurs sur moi. C'est faux. Tu sais bien que c'est pas la vérité.

Je suis allée jusqu'à lui :

— C'est moi qui trahis les gens ? Hein, dis. Il trahit pas lui !? T'es sûr ? Il te montre un texto, il choisit le texto, et toi tu fonces !? Tu es sûr que c'est moi qui trahis les gens !? Tu es sûr ? Tu es sûr de ça ? Tu te poses aucune question ? Tu réfléchis pas, au contexte. Les textos que, lui, il a envoyés, il te les a montrés aussi ? Non bien sûr, il te les a pas montrés, ceux-là !

J'ai pris ma tête entre mes mains. Je la balançais sans rien dire de droite à gauche.

— Arrête. Ça suffit ! Arrête !

Il est allé aux toilettes. Il a vomi. Il faisait des bruits de raclements de gorge. J'ai pensé : « Quel cinéma, mais quel cinéma ! » Puis : « Allez. Sois gentille. Va le voir. Il a peut-être besoin d'aide. »

Il était à genoux devant la cuvette.

— T'as encore vomi ? Qu'est-ce qui se passe Alex ?

— T'inquiète pas. Je vais pas mourir.

Il est retourné dans sa pièce. Je l'ai suivi. Il était sur le lit. Il s'est relevé. D'un geste brusque il a retiré les draps, ils étaient trempés. Il s'est assis sur le matelas nu. Il m'a regardée. Il a pointé un doigt vers moi :

— Je vais pas mourir à cause de toi. Demain je pars en Martinique. Je prends le premier avion. Demain matin. Je vais trouver de quoi le payer. T'inquiète pas. Je suis pas tout seul. Toi t'as peut-être pas de vie. Moi j'ai en une. Je m'en fous de votre fric. Ma vie, je l'aurai toujours. Quoi que tu fasses. Tu peux rien me prendre. Tu vas jamais me tuer. J'ai ma vie. Et ça je l'aurai toujours.

— Bien sûr Alex. Mais…

— Tu peux dire ce que tu veux, je m'en fous.

Il s'est allongé sur le matelas nu.

— Alex…

J'essayais de parler. Il couvrait ma voix. En répétant les mêmes choses.

— Alex… Alex… calme-toi…

— Je suis très calme.

— Excuse-moi Alex. Pardon.

— Je croyais que t'avais rien à te reprocher.

— J'ai été indélicate, sûrement. Et j'ai sûrement fait des erreurs. C'est l'évidence. Mais je t'ai pas trahi. J'étais juste perturbée. Perdue. C'est fini maintenant. Je savais plus où j'en étais. Laisse-moi te convaincre. Je t'en prie. Est-ce que je peux m'allonger à côté de toi ?

— Je préfère pas.

— S'il te plaît.

— J'ai pas envie.

— S'il te plaît Alex.

— Va-t'en. J'ai mal à la tête.

— Je peux mettre ma main sur ton front ? Ça te fera peut-être du bien…

— Toi tu veux me faire du bien ?

— Est-ce que je peux m'asseoir à côté de toi, au moins ?

Je me suis assise sur le lit. Je caressais ses cheveux, son front, ses tempes.

Il s'est relevé. Il est allé vomir. Ç'a été comme ça toute la soirée. Il a vomi toute la nuit. Il vomissait de la bile.

— J'ai un mauvais goût dans la bouche.

Dès qu'il se levait, il avait l'impression de tomber. Il s'appuyait aux murs pour marcher.

— Qu'est-ce que t'as ? T'as le vertige ?

— Je sais pas ce que j'ai.

Debout devant la cuvette, il a dit :

— Qu'est-ce qui m'arrive ? Qu'est-ce qui m'arrive ?

Il a plu toute la nuit. Les bâtons d'eau battaient les vitres. C'était la fin de l'automne. Les façades des immeubles sur le ciel noir. Les branches maigres. Je n'ai pas dormi. J'ai regardé par la fenêtre toute la nuit. Le matin, je suis allée dans sa pièce. Les volets étaient fermés. Il avait le drap sur les yeux.

— Tu dors ?

— Non.

— Ça va un peu mieux ?

— J'ai mal au cœur.

Je suis allée à la pharmacie. J'ai acheté des médicaments. Je suis revenue.

— Tu devrais pas faire un bilan sanguin ?

Il avait rendez-vous dans l'après-midi. Il venait d'appeler son médecin.

— Il va me faire une ordonnance.

On y est allés ensemble. J'ai attendu dans la voiture. J'avais pris un livre pour patienter. Au bout de cinq minutes, il était de retour.

— Qu'est-ce qui se passe ? Il est pas là ?

— Si.

— Il a pas pu te recevoir ?

— Si.

— Tu l'as vu !?

— Je t'ai dit oui.

— Tu lui as parlé ?

— Puisque je l'ai vu.

— … T'as eu le temps de lui expliquer ?

— Je parle mal ou quoi ça fait trois fois que je te dis que je l'ai vu !?

— C'était rapide, t'es même pas resté cinq minutes.

— Je sais pas si c'est rapide, en tout cas je l'ai vu.

— T'as eu le temps de bien expliquer ce que tu ressens ? Il t'a examiné ? Ou il t'a juste fait une ordonnance ?

Il a agité l'ordonnance en me disant qu'il allait au laboratoire.

— Il a pris ta tension au moins ?

C'était un vendredi. Il est resté au lit tout le week-end. Le mal de tête augmentait. Les nausées persistaient. Il ne pouvait rien manger. Il rejetait tout ce qu'il ingurgitait. Le lundi, il est allé chercher les résultats. La nuit était tombée. J'étais sur le fauteuil près de la fenêtre. Il pleuvait. Il est rentré. Il a jeté l'enveloppe sur la table basse.

— Tu l'ouvres pas ?

— Ça sert à rien c'est des chiffres.

— Ils t'ont rien dit au labo ?

— Ils m'ont donné la lettre qu'est là…

— T'as ouvert ou pas ?

— C'est des chiffres je te dis. J'ai appelé le médecin, il répond pas. C'est trop tard. Demain il va me dire.

— Je peux regarder ?

— T'es médecin ?

— Je suis pas médecin, mais à côté des chiffres, il y a une fourchette en général. Avec un maximum et un minimum. Je peux regarder, ou ça t'embête ?

— Si tu veux.

Certains chiffres étaient hors de la fourchette.

Le lendemain il a téléphoné à son généraliste. Il avait une insuffisance rénale, probablement aiguë vu son âge. On allait lui prescrire un traitement. Il lui a donné le nom d'un néphrologue. Celui-ci exerçait dans une clinique, qui se trouvait entre la place de Clichy et la gare Saint-Lazare.

Il a téléphoné. Le rendez-vous a été fixé au samedi de la semaine suivante.

On était à quelques jours de Noël. On ne pourrait pas se garer dans le quartier. De chez nous c'était direct en métro. Il venait de passer dix jours au lit avec des maux de tête et des nausées. On y est allés en voiture. Il ne voulait pas avoir d'escaliers à descendre et à monter.

Le bureau du médecin donnait sur une cour intérieure. L'espace était étroit. Derrière nos chaises il y avait un divan surélevé. On pouvait le toucher. Alex a sorti l'enveloppe. Le médecin a lu. Puis il a levé les yeux.

— Vos reins ne fonctionnent plus monsieur… Rochelle, c'est bien ça ?

— Oui docteur.

— Votre sang n'est plus nettoyé monsieur Rochelle. C'est pour ça que vous avez un mauvais goût dans la bouche. C'est un goût d'urée. Vous avez une insuffisance rénale terminale.

— Terminale… c'est-à-dire ?

— Ce n'est pas une insuffisance aiguë. C'est chronique. Vos reins ne fonctionnent plus. Ils fonctionnent à douze pour cent. Donc vous vous…

— Comment vous allez faire repartir mon rein docteur ?

— Je ne peux pas.

— Ma vie vient de changer là ?

— Oui.

Il y a eu un silence.

— Si je dois vivre comme ça, je veux pas vivre moi docteur.

J'ai dit : « Qu'est-ce que tu racontes. »

— Ce que je vis depuis dix jours, je peux pas le supporter.

— On ne va pas vous laisser comme ça. Vos reins ne repartiront pas, c'est certain. Mais on va vous aider. Votre sang n'est plus épuré. Parce que les reins ne font plus leur travail. Les toxines circulent en circuit fermé. Vous vous empoisonnez vous-même en quelque sorte. On va vous aider. Là, vous allez faire une radio c'est juste à côté...

— Où ?

— La porte à côté. Ensuite vous revenez, on verra ce qu'il reste de vos reins, s'ils n'ont pas trop rétréci, on fera une biopsie. Ça permettrait de déterminer l'origine de cette insuffisance. Et de voir, si on ne peut pas, malgré tout, vous proposer un traitement. Ce serait bien. Sinon, je vous expliquerai. Est-ce que vous fumez ?

— Non.

J'ai dit :

— Ben, si, Alex. Excuse-moi Alex, mais si. Si, tu fumes.

— Ah ! Il y a un désaccord avec madame !

— Oui, parce qu'il fume.

— Vous fumez combien de cigarettes par jour monsieur ?

— Pas beaucoup.

— Il fume pas des cigarettes.

— Je suis pas là pour vous juger monsieur. Vous fumez quoi ?

— De l'herbe.

— Vous en fumez beaucoup ?

— Non.

— Si, Alex. Si. Quand même. Dis les choses Alex. C'est important. On rigole plus là. Il fume plusieurs joints par jour. Je ne sais pas combien exactement.

— Vous prenez d'autres produits ?

— Non.

171

Le médecin m'a regardée.

J'ai hoché la tête.

— Bien. Je vais prendre votre tension.

Il montrait le divan surélevé derrière nos chaises.

Alex a dénudé son bras. Le médecin lui a passé un brassard. Il a appuyé sur la pompe du tensiomètre. L'aiguille s'est stabilisée.

— Il vous a rien dit votre généraliste quand il a pris votre tension ?

— Je sais pas s'il l'a prise.

— Vous avez vingt-trois de tension. Vous ne pouvez pas rentrer chez vous comme ça. Vous êtes passé à deux doigts de l'AVC, monsieur Rochelle. Vous allez rester avec nous. Bon. Je téléphone aux hospitalisations pour leur dire qu'on a besoin d'une place. Et je vous accompagne à la radiologie.

Il a composé un numéro.

— Ils répondent pas. J'essaierai plus tard. Venez avec moi…

La biopsie était impossible. Les reins avaient trop rétréci. On est retournés dans le petit bureau.

— Monsieur, je peux vous poser une question ?

— Oui madame Rochelle.

— Au cours de l'année, et même les années précédentes, il a eu beaucoup d'épreuves. Il a affronté beaucoup de choses. Et dans les derniers mois il s'est beaucoup fatigué. Et je voulais vous demander si le stress, la fatigue, tout ça… ça peut être une cause ? Ou si ça n'a rien à voir ?

— Ça n'aide pas.

— C'est lié donc un peu…

Alex a dit :

— C'est pas la question !

Le médecin a parlé d'un système qui nettoyait le sang. Les malades étaient branchés sur une machine qui aspirait leur sang. Elle le réinjectait nettoyé dans les veines. On appelait ça la dialyse. Alex devrait aller à l'hôpital trois fois par semaine, et rester quatre heures sur cette machine.

— Pendant combien de temps docteur ?

— À vie.

— Je vais devoir aller à l'hôpital toute ma vie, trois fois par semaine, et rester quatre heures sur une machine ?

— Oui monsieur Rochelle.

— Toute ma vie ?

— On pourra peut-être plus tard vous inscrire sur une liste de greffe. On n'en est pas là. L'urgence, là, c'est de vous mettre en dialyse. Il faut que votre tension baisse, parce que moi je ne peux pas vous mettre en dialyse avec une tension à vingt-trois.

— J'aurai plus mal au cœur si je vais en dialyse ?

— Les nausées vont disparaître, oui.

— Tout le reste de ma vie, je vais devoir aller à l'hôpital ?

— Oui.

— Je vais rester branché sur une machine pendant quatre heures trois fois par semaine, il y a pas d'autre moyen ?

— Si vous étiez insuffisant cardiaque, je n'aurais pas de solution à vous proposer, monsieur Rochelle. Là, j'en ai une.

— Je peux pas les faire chez moi les dialyses ?

— Si. Vous pouvez les faire à domicile. C'est douze heures par jour au lieu de quatre. Et c'est tous les jours. Mais vous pouvez vous brancher pendant votre sommeil. Ou quand vous regardez la télé. C'est comment chez vous, c'est grand ?

— Assez oui.

— La machine, ça va. C'est facile à entreposer. C'est la taille d'une grande valise. Mais les poches de liquide, qui vont nettoyer votre sang tous les jours, il faut pouvoir les stocker. Ça représente un certain volume.

— Quel volume ?

Il nous a montré une photo. Les cartons, de trente centimètres de côté, occupaient un mur entier.

— … Vous voyez, c'est quand même assez… On vous livre toutes les trois semaines. On ne peut pas faire mieux. Alors il y a des patients, plutôt que de médicaliser leur intérieur, qui préfèrent aller à l'hôpital et préserver leur intimité. C'est un choix. Vous avez des frères et sœurs monsieur Rochelle ?

— Oui.

— Vous avez de bons rapports avec eux ?

— Bien sûr.

— Parce que, si l'un ou l'autre s'avérait compatible, ça réduirait considérablement le délai. À condition qu'on puisse vous inscrire sur une liste de greffe... ça dépendra de vos examens. Ils sont en France vos frères et sœurs ?

— Ils sont en Martinique, mais moi je veux pas que ma sœur me donne son rein. Je veux rien demander à personne. C'est quoi le délai normal ?

— Quatre ans. Cinq ans. Ça peut être moins. Ça dépend du groupe sanguin, ça dépend de beaucoup de choses. Ça peut être plus. Ça peut être dix ans. Vous avez quarante-huit ans. C'est ça ?

— Oui.

— Il y a le hasard, ça peut être plus court. Il y a aussi une part de chance.

— J'ai pas tellement de chance on dirait.

Les chambres donnaient sur la rue. Celle d'Alex était au cinquième étage. Il y avait un immeuble haussmannien en face. On voyait le ciel gris et le Sacré-Cœur par-dessus le toit. C'était une chambre double. Il occupait le lit près de la fenêtre. La lumière lui faisait mal à la tête. Il m'a demandé de tirer les rideaux.

— Tu pourras me rapporter des tee-shirts, une serviette et des gants de toilette tout à l'heure ? Et deux pantalons de jogging ?

— Tu veux que j'y aille maintenant ?

— Si tu veux oui. Et mon parfum, s'il te plaît.

Le couloir. L'ascenseur. Le hall. La rue. Le métro. La maison. J'ai mis des affaires dans une valise. Et je suis revenue. Alex me tendait un papier :

175

— Tu peux signer là ?

— Là dans la case ?

Il y avait écrit à côté : « Personne habilitée à prendre les décisions dans le cas où vous seriez dans l'impossibilité de le faire. » Assise sur le lit j'ai signé. Puis j'ai passé ma main dans ses cheveux.

— Je vais me les faire couper.

— Pourquoi ?

— Comme ça.

— Comme ça ? Tu sais pas pourquoi ?

— J'en ai marre.

— Tu vas les faire couper complètement ? Tu vas couper tes locks ?

On a frappé. Une aide-soignante venait prendre la commande de ses repas.

— Il y a un coiffeur ici madame ?

— Non il y a pas de coiffeur ici.

Sa chambre était au bout du couloir. Le lendemain, dans l'ascenseur, un homme m'a dit qu'il allait voir sa femme. On est descendus au même étage. Je marchais derrière lui. Il est passé sous un porche marqué « cancérologie ». J'ai continué. Alex était allongé torse nu. Il avait des capteurs sur la poitrine. Je me suis assise au bord du lit. On s'est regardés. Les larmes nous sont montées aux yeux. Il m'a expliqué les différents branchements. Il avait une perfusion pour faire baisser la tension. Une autre contre les nausées. Un cathéter à l'endroit du cœur. Il le garderait jusqu'à ce que les infirmières puissent le piquer dans la fistule, qu'un chirurgien allait créer. On liait une veine à une artère. Ça augmentait le débit du sang. Ça permettait les dialyses. Celles-ci n'avaient pas commencé. Sa tension était trop élevée.

Le lendemain matin, il m'a appelée à six heures :
— Quand tu viendras, tu t'arrêteras au premier étage. J'ai changé de chambre. Je suis en soins intensifs.
— Qu'est-ce que tu fais en soins intensifs ?
— Quand t'es partie, hier soir, ils m'ont donné un médicament, il était trop fort leur médicament. De vingt-trois, je suis passé à neuf, t'imagines ? Heureusement j'ai senti que je partais. J'ai eu le temps de tirer sur la sonnette... Sinon... Faut passer sous un porche, tu verras il y a marqué « soins intensifs ».

C'était une chambre sans fenêtre. La porte était vitrée. On le réveillait toutes les heures pour contrôler sa tension. Il y avait des bruits électroniques permanents.
— Ils s'arrêtent quelquefois ces bruits ou... ?
— T'es pas obligée de rester.
— C'est pas ce que je dis. Je te demande si ces bruits sont là tout le temps.
— Vas-y si tu veux, y a pas de problème.
— Je dis pas ça Alex.
— Tu peux y aller. T'inquiète pas. Je suis fatigué de toute façon.

— T'as plus besoin de moi ? T'es sûr ?

— Vas-y je te dis.

— T'as appelé ton fils ? Il sait que tu es là ?

— Non... je suis trop fatigué... Je peux pas appeler.

— Tu veux que je le fasse ?

— Si tu veux.

Il est retourné dans une chambre classique après dix jours en soins intensifs. Il a commencé les dialyses. La première fois on m'a autorisée à l'accompagner. Une vingtaine de personnes âgées dormaient ou feuilletaient des magazines. Certaines regardaient un écran de télévision accroché au plafond. Le sang circulait dans des tuyaux, entre la veine et la machine, à laquelle la personne était reliée. Il a fait deux premières semaines de dialyses à l'hôpital. Puis il est rentré.

Il avait beaucoup maigri. Il avait un régime sans sel et sans potassium. Certains aliments étaient interdits. Les bananes. Les fruits secs. Certains poissons. Il fallait faire bouillir les légumes une première fois, jeter l'eau à mi-cuisson, remplir la casserole avec une nouvelle eau, la faire bouillir, remettre les légumes et terminer la cuisson.

Un mois plus tard, on a été reçus par une chef de service de la Salpêtrière. Le bureau donnait sur des arbres. Elle était dos à la fenêtre. On était face à la verdure. C'était le début du printemps. Les arbres étaient fleuris.

— Docteur, vous me répondrez franchement si je vous pose une question ?

— Je suis là pour ça monsieur Rochelle.

— Est-ce que j'ai une chance d'être greffé un jour ?

Elle feuilletait son dossier.

— Vos examens sont bons à ce que je vois. La greffe ne change pas l'espérance de vie des insuffisants rénaux, mais ils gagnent en qualité de vie par rapport à la dialyse. C'est certain.

— Il faut attendre cinq ans ?

— Parfois moins. Parfois plus. Ça dépend de l'identité tissulaire. Quatre-cinq ans d'après les statistiques. Oui. En moyenne.

Elle a ajouté en souriant :

— Mais après on a les reins solides !

Je n'avais pas entendu cette expression depuis longtemps. Je n'en savais plus le sens.

— Il y a un régime ?

— Oui. Assez strict. Différent de celui que vous avez aujourd'hui. À suivre à vie. Avec des médicaments à prendre à heure fixe. Plusieurs fois par jour. À vie aussi. Parce que ce précieux greffon, qu'on a attendu pendant des années, n'est-ce pas, on a envie de le garder. Alors on fait tout pour. Je vois que vous avez des grains de beauté là… Ça ce serait à surveiller si un jour vous êtes greffé. Il y a des risques de cancer de la peau à cause des immunosuppresseurs, qui vont

179

baisser l'immunité pour faciliter l'acceptation du corps étranger.

— Il consiste en quoi le régime ?

— Les anti-rejets contiennent du sucre. On restreint sa consommation de sucre au minimum. Sinon on risque de remplacer l'insuffisance rénale par un diabète. Ce n'est pas le but. On évite tout ce qui est sucre.

— À la fin du repas, je pourrai même pas manger un petit yaourt sucré ?

Il ne souriait pratiquement plus. Il partait à six heures le matin. Il rentrait à une heure. Il s'effondrait sur un canapé ou sur un lit. Il se réveillait à sept heures le soir. Il regardait la télé une heure. Il retournait se coucher. Les jours sans dialyse il restait à la maison. Ou il allait faire des examens à l'hôpital.

Quelques mois plus tard, il m'a accompagnée chez le coiffeur. En arrivant il s'est assis devant un miroir. Il a demandé à une jeune fille de lui couper les cheveux. Les locks tombaient par terre une par une. Et la forme de son crâne apparaissait. Les longues mèches noires torsadées jonchaient le sol. La jeune fille les a balayées.

Le temps d'adaptation a été long. Les infirmières ne le piquaient pas tous les jours dans la fistule. Elle n'était pas encore assez développée. Elles utilisaient le cathéter. Il ne pouvait pas prendre de douches tant qu'il l'avait à cause des risques d'infection. Puis une infirmière lui a été dédiée. Elle pratiquait une nouvelle technique à laquelle il s'est habitué. On lui a retiré le cathéter. Il n'avait pas pris de douche depuis cinq mois. Il laissait l'eau couler sur lui vingt minutes, une demi-heure.

La vie reprenait. On dormait ensemble de temps en temps. Une fois, en pleine nuit, je ne sais plus à quel propos, il a dit :

— Je m'en fiche. De toute façon il me reste pas longtemps à vivre.

Parfois j'avais envie de pleurer. Je m'enfermais dans les toilettes ou dans la salle de bain. J'en ressortais le visage sec.

Un soir, il dormait sur le canapé, j'étais sur le fauteuil près de la fenêtre. Je n'entendais plus son souffle. Je me suis approchée, j'ai vérifié qu'il n'était pas mort en collant mon oreille contre sa bouche.

Un après-midi, on se promenait vers Montmartre, il a eu envie d'une glace. L'été était revenu. On s'est assis à la terrasse d'un café. Autour de nous, les conversations étaient animées. La terrasse était pleine. Les gens avaient une trentaine d'années. Il a commandé une glace. J'ai commandé un Perrier. On parlait peu. Il était fatigué. Je regardais devant moi. La rue. Les immeubles. Il y avait une station essence sur le trottoir d'en face. Tout à coup, j'ai vu Vincent qui passait. Il marchait lentement. Il avait fait des courses. Il avait un sac en plastique à la main. C'était bien lui. Je ne rêvais pas. Torse large, hanches étroites, il allait dans la direction de la place de Clichy. Je le regardais. Je retenais mon souffle. Je ne bougeais pas. Je le suivais des yeux. Ma respiration a pris un rythme naturel. J'ai regardé son dos qui s'éloignait jusqu'à ce qu'il disparaisse au coin de la rue. Et j'ai constaté que mon cœur ne battait plus.

Cet ouvrage a été mis en pages par

CET OUVRAGE
A ÉTÉ ACHEVÉ D'IMPRIMER
SUR ROTO-PAGE
PAR L'IMPRIMERIE FLOCH
À MAYENNE EN AOÛT 2018